アリエナクナイ

科学ノ

arienakunai
kagaku no
kyoukasho 2

学

教科書

2

くられ

協力：薬理凶室

ソシム

はじめに

　科学ってなんでしょう?

　本書は、マンガやアニメ、映画に小説といった世界で繰り広げられる"フィクション"を科学する本です。そういうと、科学がフィクションを否定するように思えるかもしれません。

　科学と空想。心霊現象、UFOにUMA、奇跡の宗教現象からこっくりさんに至るまで、科学がカラクリを解き明かし、存在を否定していることは事実です。だからフィクションを科学すると否定される感じがあるのも仕方ないのかもしれません。

　科学とは対象を観察し、法則を見つけ、制御方法を探し、そして再現性を確立することです。人類は科学により、さまざまな未知の現象の奥へ奥へと進み、闇を照らしてきました。ときに「科学とは再現性を神とする合理性に基づく宗教である」なんて揶揄されることもあります。しかし科学は、感情抜きに、ただひたすらに深淵を照らし続け、観察し法則を調べ支配率を上げていく冒険です。

　ではフィクションと科学の関係はどうでしょうか?　自由な発想のもとに生み出された創作物を科学で読み解き、「それはおかしい」「こんなことは起こらない」と断ずることが正しい姿勢なのでしょうか?　筆者はそうは思いません。

ならばフィクションを科学で否定するのではなく、思っきり肯定してみよう！　これが前作『アリエナクナイ科学ノ教科書』のコンセプトです。このコンセプトのもと、「こんなフィクションを実現するとしたらどんな科学的アプローチがあるのか」を考察すると同時に、「今の科学は、ここまでフィクションに近づいている」ことを紹介してきました。

　アリエナイではなくアリエナクナイ。これは決して筆者の理想論ではありません。事実、科学の現実は過去のSFだったではありませんか。

　フィクションにおいて最も大事なもの。それは「面白さ」です。

　筆者は、週刊少年ジャンプ連載中の『Dr.STONE』をはじめ、いくつかのマンガやドラマ、小説などで科学監修をさせていただいていますが、一番気をつかうのは"科学設定が作品の面白さを阻害することがないように"という点。科学的な設定ごときが無限のアイディアを殺してしまうなんてことは極力あってはならないと考えています。

　「こんな感じの設定はアリですか？」
に対して科学監修が
　「発想は面白いですが科学的にはアリエマセン。ナシです。設定やり直してください」と言うのは簡単です。

　そうではなく、面白い設定を生かしたままで科学的な整合性をいかにつけるか、これこそが最も大事なのではないでしょうか？

これって科学的に正しいですか？

科学設定において、この質問は魔物です。

フィクションの登場人物が銃の引き金に指をかけていると、「実際の銃を扱うときに引き金に指をかけたままなんてことアリエナイ」なんて指摘の集中砲火を浴びることがあります。また少女マンガで描かれるライフルの持ち方がヘンだなんてツッコミまつりもありました。しかしそうしてドヤ顔で批判している人たちのうち、実際に銃を扱ったことがある人はごく少数でしょう。ただ困ったことは、作り手側にもそうしたツッコミを恐れる人がいることです。

事実、これを避けるために「これって科学的に正しいでしょうか？」と相談を筆者にしてくる方もいらっしゃいます。もちろん頼まれれば科学的観点から整合性を取るように努めますが、そもそもフィクションというのは、基本的に1人ないし小数の人間が構築した世界であり、そこにすべてのリアリティを載せること自体が本来不可能。

たとえばゴジラを既存の生物学でいくら設定を盛ってもさすがに東京都をぶった切るビームの設定なんか作れません。ターミネーターのような体重の重いアンドロイドは人間用のバイクに乗れませんし、建物に入れば床をぶち抜きまくって沼地を歩くような感じになってしまうでしょう。なにそれかっこワル！

歴史モノにも「この時代にこのタイプの文具は存在しない」「この時代の絵にこの顔料が使われることはアリエナイ」といったツッコミが入りがちです。

断言しておきますが、あらゆる人が満足し誰からもツッコミが入らないフィクション設定なんてものはありません。そんなのただの現実です。

　創作物には、作品のフィクション度合いを示す"温度"という感覚があります。この温度にあわせておけばいいのです。

　映画監督のジョージ・ルーカスは『スター・ウォーズ』についてsound in spaceという言葉を用いました。つまり「自分の作品の宇宙では音がなるんだよ！」と明言したのです。リアルな宇宙は真空なので波である音は伝わりません。どれだけ派手に宇宙戦争をしても無音ということ。でもそれではエンターテインメントとしては都合が悪いですよね。「だってそっちの方が面白いから」とリアルを無視する姿勢、創作にあたっては非常に重要と言えるでしょう。
　日本のアニメキャラの「大きな目」なども、キャラクターとして可愛く仕上がり萌えられるならそれが正解。解剖学的にどうこう……なんてのは野暮の極みではっきりいってどうでもいいことです。

　先ほどの引き金指かけ問題も同様であり、たまたま銃を持った人物が作中に登場した場合など、銃の正しい扱い方なんてのは些末な問題。作品の本質的な面白さとは関係ありません。目玉のおまわりさんをはじめ、ギャグマンガにおいては銃だってギャグの小道具にすぎず、めちゃくちゃな取り扱いをされています（笑）。
　反面、戦争のリアルを描くような作品においては、しっかりと銃器の本当の扱い方を押さえておいたほうがよいでしょう。ここの緻密さが説得力を与えることにつながりますので。温度とは、こういうことです。

つまりフィクションと科学設定の関係は、創作部分が骨でありフィクションはそのディティールということ。これが逆転し、科学設定のほうが骨になってはいけません。科学的整合性を保つために作者が本来やりたい演出をスケールダウンさせたりするのはもってのほかです。誰でも知っている常識レベルから外れている、簡単に検索などで「ん？」にたどり着くものでない限り、話の面白さを最優先、これが創作における正解だと筆者は思います。受け手側も、もちろん批評は大切ですが、それが作品の本質なのか、枝葉末節をあげつらってないか、を意識することは大切でしょう。

　ちょっと話が堅苦しくなってしまいました。
　本書『アリエナクナイ科学ノ教科書２』は、ＳＦにおける"指かけ問題"と"より面白くするためのアイデア"を可能な限り集めて煮詰めた闇鍋でございます。フィクションを違った視点で楽しむためのガイドブックにもなるかもしれません。

　さてさて前置きはこれくらいにして……そろそろ闇を照らしにいきましょう。

　いざ深淵へ！

くられ

アリエナクナイ科学ノ教科書2
Contents

完全犯罪不完全ガイド ············· 087

第2章 科学の今がここにある！ モノサイエンス概説 ············· 099

光学迷彩のアレコレ ············· 100

特殊攻撃 ············· 107

Prologue

本書を読み進めるにあたって

　フィクションの世界って何でしょう？　それはわれわれの世界とは違う世界です。たとえば『天空の城ラピュタ』や『ドラゴンボール』では、小さいジェットエンジンや羽虫のように羽ばたいて飛ぶ乗り物など、あってもおかしくなさそうなものが出てきます。

　しかし厳密に考えると、羽ばたいて飛ぶ機械は制御が難しくさらに大型化すると揚力が安定して得られず、小さなジェットでは赤ん坊すら持ち上げられません。そう、現代科学というわれわれの世界のモノサシで検証すれば、フィクションの大半はアリエナイのです。

　科学設定の難しさは、その現実性に基づいて否定するのではなく、如何にその世界では可能であるかということを考えるかにかかっています。フィクションにおいては"面白さ"こそ最大の正義であり、科学的な正しさは補助であるべきなのです。

　……ただ、とはいえ、その設定にあまりにツッコミ所が多すぎると興ざめしたり、作品が浅く見えてしまったりすることも事実。ましてネットが普及しきったこの時代、ちょちょいと検索すればすぐにいろいろなことが分かってしまいます。

　たとえハッタリであろうと、作品に説得力を与える"設定"には科学的な要素が多分に含まれるものです。吸血鬼ものだろうがゾンビものだろうが、こと舞台が現代であれば科学との接点なしには描けなくなってい

るのも事実。そこで「ん？」と思われて現実に引き戻されてしまったら、どれだけすばらしいドラマも残念なものになる可能性があります。

　誤解を恐れず言うならば、フィクションに科学設定は付きものです。そう、世の中の大半のオハナシは大なり小なりSFなのです。

どんなジャンルにも科学リテラシーは必須

　前著『アリエナクナイ科学ノ教科書』の「はじめに」では、スマホでのテレビ電話、翻訳アプリ、電気自動車、3Dプリンター、ドローン、プロジェクション・マッピング、VRを"かつてフィクションでありながら実現してきた科学技術"の例として挙げています。

　あれから2年以上。スマホ向けのVR、ARなどはすっかりお馴染みのものになりました。ほかにも、3Dプリンターを再生医療に用いて臓器をプリントしようとする研究があったり、ドローンは気がつけば人間を乗せて飛べるほどの出力と制御系を手に入れたりしています〈写真**1**〉。

　さらに、電池も全固体電池といった次世代の足音が聞こえつつある状況です。法医学に目を向ければ、いったん死んでしまった人をよみがえらせて事情聴取をするとか、現場にいた蚊のような血を吸う生き物からDNAを採取して犯罪を立件するなどという驚異の科学捜査が現実のものになりつつあります。

　そもそも生命の起源を調べるため、化学物質と生命の中間のような存在（機械性油滴）の研究なども進んでおり、はじまりの生命がラボで生まれる可能性も近づいてきました。

　そうした現在の科学をフィク

〈写真**1**〉米・LIFT AIRCRAFT社が研究開発中のHexa
（出典：https://www.youtube.com/watch?time_conti
nue=13&v=BSbynmTcAYk&feature=emb_logo）

ションの中でどう扱っていくか、それが重要です。逆にここまで科学が進んでいると、物語のなかではもはや魔法と同じようになってしまうことが、むしろ問題になる場合があります。

　フィクションの一大ジャンルである恋愛モノですが、かつて"あるモノ"の登場・普及によってそれまでの方法論が崩壊しました。あるモノ、すなわち携帯電話。恋愛モノといえば淡く切ないすれ違いを描いてドラマを演出しなければならず、その代表例が待ちぼうけです。

　公園に佇む女性。やむにやまれぬ事情で時間に間に合わない男性。降り出す雨。しばらくは待ったものの、やがてその場を立ち去る女性。入れ違うように公園に駆け込む男性。彼は女性がすでにいないことを知り、膝から崩れ落ちる……。流れ出す主題歌。

　てな様式美が、携帯電話によって男性「ごめん。遅れる」女性「ほい了解。どっかで時間つぶしてる」で成立しなくなりました〈第1図〉。いまならLINEでさらにお手軽さがマシマシです（笑）。

　携帯電話、さらには高機能化しているスマホはジャンルによっては厄介な存在で、サスペンスドラマではまず"どうやって携帯を使用不可

〈第1図〉携帯電話は恋愛ドラマにパラダイムシフトを引き起こした

能にするか"がつかみとして超重要となっています。ここがチープだと、その後のストーリーまでチープに思われる可能性大。

　異世界を舞台にしたファンタジーものだって、最低限の科学的バックグラウンドは必要です。

さりとて「リアル＝正義」でもなく……

　一方、フィクションを楽しむ上では科学的にリアルであればよいわけでもありません。たとえばミステリ作品で、犯人が普通の科学捜査ではひっかからない遅効性毒物を用いて完璧なアリバイを構築、負けじと怪しいと思った名探偵が犯人に自白剤を用いて自供を誘引、見事事件は解決……なんてのはドラマでもなんでもありません。

　ゆえに時代設定や、その世界での科学水準、犯人や登場人物の科学リテラシーというものをある程度制限しておく必要があるわけです。むしろ制限がないとエンターテインメントとしてのドラマ構築が大変なことになってしまいます。あえてそこを無制限にした『Dr.STONE』という作品の科学監修を筆者は務めておりますが、最も苦心するのがフィクションのためのさじ加減です。

　それはさておき、20世紀イギリスで聖職者・神学者で推理小説作家でもあったロナルド・ノックスという人物がいます。彼が1928年に発表したのが『探偵小説十戒』です〈写真**2**〉。同作で、推理小説においてやってはいけない10の禁止事項が示されました。ミステリ界隈では常識といって差し支えない、いわゆるノックスの十戒です。

〈写真**2**〉日本語翻訳版はすでに絶版書籍

ノックスの十戒

1. 犯人は物語の最初から登場してるべし
2. 問題解決に超能力を使うべからず
3. 犯行現場には逃げ場が複数あってはいけない
4. 未知の毒物や解説の難解な化学物質を犯行に用いるべからず
5. 中国人を登場させるべからず
6. 直感や偶然で事件を解決すべからず
7. 主人公＝犯人にすべからず
8. 読者に提示していない証拠で事件を解決するべからず
9. ワトソン役は心中明朗であれかし。話を複雑にすべからず
10. 双子などの設定はあらかじめ読者に提示すべし

　おおむね納得できる内容ですが、5.については現在の感覚からすると「なぜに？？？」と思ってしまいますよね？　これは、1900年代前半のイギリスでは、中国人はミステリアスな存在で、「どんな不可思議なことも中国四千年の歴史パワーでできてしまう超人」というイメージを抱かれていたからです〈第2図〉。「魔法使いを出すな」と言い換えれば腑に落ちるのではないでしょうか？　そう捉えると2.とほぼ同義な感じになってしまいますが……。

〈第2図〉英国紳士から神秘の存在と思われていた中国人

　ノックスの十戒の趣旨、それは「いくら推理小説でも一定の線引きは必要でしょ」ということです。この精神は、現代でも推理小説に限らず、フィクションを創作する上で踏襲すべきと筆者は考えています。

　もちろん「超能力を使うな」と

いうことではありません。しかし超能力を"なんでもできる無敵の力"とすると、作品にドラマの入り込む余地がなくなってしまいます。物理法則に基づく世界に生きる我々が「確かにそれはありそうだ」と思う制限を設けることで、作品をより高みに導くことが可能になるわけですね。

　ただ一方で、先ほども述べたように、物理法則ばかりを重視したからといって作品が面白くなるわけでもありません。ときには大胆に物理法則を無視することも創作の上では重要でしょう。

　長くなりましたが、以降はフィクションとちょうどいい関係を保つための科学知識を読者の皆様にお伝えしていこうと思います。1講1テーマ方式で、余談雑学てんこ盛りで進めて参る所存です。ではお気軽にお付き合いくださいませー。

第1章

人類はどこに至るのか？ヒト科学最前線

第1講

機械化の機会、奇貨か危機か

アンドロイドと
サイボーグ

参考作品　**Dr.スランプ**

鳥山明のマンガ作品。マンガ家デビュー後、短編2作を経ての
3作品目にしてビッグヒットとなる。詳細は本文に譲るが、則
巻アラレはアンドロイド、Dr.マシリトは当初人間でのちにサ
イボーグとなった。

▶**アンドロンド&サイボーグを扱う作品群**
『攻殻機動隊』シリーズ、ロボコップ、サイボーグ009、いぬやしき、ター
ミネーターなど

　さぁいよいよ講義開始です。第1講ではまさしくSFな、機械と生命
の融合についてお伝えしていきたいと思います。

アンドロイドとサイボーグって何が違う？

　"機械と生命の融合"として具体的にはアンドロイドとサイボーグが挙
げられます。アンドロイド、サイボーグ、いずれも言葉として聞いたこ
とがない人は少ないでしょうが、両者の違いを説明できる人もまた少な
いのではないでしょうか。まずここをはっきりさせておきましょう。

・アンドロイド

　"人間に見えるロボット"、これがアンドロイドです。今や一般名詞的
に用いられる言葉となっておりますが、広く知られるようになったのは
フランスの作家ヴィリエ・ド・リラダンが1886年に発表した小説「未

来のイヴ」内で登場したためと言われています。なお、アンドロイドという言葉は、古典ギリシア語の"男性"を意味するandroと" 〜に見える""そっくり"を意味するoidを組み合わせたものです[1]。

・サイボーグ

　ベースは人間であり、体の一部を機械に置き換えたもの。または脳や心肺機能以外を機械化した人類、機械化臓器などを導入した人間などを総じてサイボーグといいます。なお、サイボーグは略称で、正式名称はサイバネティック・オーガニズムです[2]。

　サイボーグとアンドロイドの違いをごく簡単にまとめると、全部人工の機械生命体がアンドロイド、人間の機能拡張に機械を使っているのがサイボーグ、全部人工の機械生命体がアンドロイドとなります。参考作品欄で挙げたとおり『Dr.スランプ』の則巻アラレはアンドロイドで、Dr.マシリトはサイボーグ〈写真**1**〉。同じ鳥山明作品の『ドラゴンボール』で言えばハッチャンと人造人間16号＆19号はアンドロイドで、ドクター・ゲロと人造人間17号＆18号はサイボーグ[3]です〈写真**2**〉。

　そんなサイボーグとアンドロイド。両技術とも、実はもう少しのブレイクスルーがあればしれっと

〈写真**1**〉フルスクラッチなアラレちゃん
「文庫版 Dr.スランプ」第1巻6ページより（鳥山明／集英社／1995年）

〈写真**2**〉左からアンドロイド、サイボーグ、サイボーグ
「ドラゴンボール完全版」第24巻104ページより（鳥山明／集英社／2003年）

1）アンドロイドという言葉の初出自体も、本文中で触れた「未来のイヴ」であるとする記述が多い。しかし1700年代にフランスで出版された「トレヴーの辞典」「百科全書」にも"ANDROIDE"の項目があるという報告もある。このあたりは筆者の専門外なので紹介に留める。
2）サイバネティクスという言葉は第二次世界大戦後、マサチューセッツ工科大学の数学者であったノーベルト・ウィーナーによって提唱された。さまざまな情報技術に生理学や哲学、工学などが複雑に絡み合ってできた総合的概念。ちなみにサイバーポリスとかに使われるサイバー（電脳とも訳される）もこのサイバネティクスからの派生語である。
3）作中でのちに"ほとんど有機質のみで改造されている"ことが設計図を見たブルマによって明かされるので、ゴリゴリの機械化かというとビミョーなところ。18号とクリリンのカップリングなど、あと付けの設定のような気がしないでもない。

実現してきそうなところに到達しつつあります。

すでに人間超え？ サイボーグの今を知っておきなサイ！

　まず、サイボーグ技術についてまとめておきましょう。まず重要なのが運用方法です。SF作品で描かれ方が曖昧だと、作品世界観もブレブレになってしまいます。まず、リアルサイバネは「強化人間を作ったろー！」という目的での研究はもちろん行われておらず、基本的に医療のための技術です。義手や義足という形で失われた手足を戻したり、人工心臓をはじめとする人工臓器で疾患を治療したりといった目的で研究されています。なお、この分野で着目されているのが3Dプリンタです。個人の体格に合わせてオーダーメイドする義手義足の価格破壊に寄与[4]することはもちろん、人工臓器への応用も期待されています[5]。

　ということで、本来的には代替品だったサイバネ技術。

　ですが、様子が変わってきました。たとえば義足です。近年、パラスポーツにおける義足ランナーの躍進には目覚ましいものがあります。短距離走でいえば、両足切断義足ランナーのオスカー・ピストリウス氏[6]は100メートル走10秒91、200メートル走21秒30、400メートル走45秒07という記録保持者。健常者の世界記録と1〜2秒程度しか違いません。普段の生活はともかく"走る"という1点においては膝より下を足より軽く、かつ強靭なスプリングがあるパーツに置き換えれば、人類の地平をこえることは十分に可能。このように人類の基本スペックを超えはじめています[7]。

4）義足の価格は30〜100万円程度が相場。2018年、3Dプリンタで価格を10分の1ほどに抑えた義足を、東南アジアへと輸出しようとするベンチャー企業が設立された。ちなみに日本の場合、義足の価格がいくらであろうと障害者総合支援法により1割負担となり、さらに上限額も37,200円となっている（2019年時点）。
5）臓器や組織を自由に作り出すバイオ3Dプリンタの研究が進んでいる。ただ、本稿執筆時点では、まだまだ課題も多く、実用段階には至っていない。
6）南アフリカ共和国の両足義足の陸上選手。パラスポーツだけでなく普通の競技大会にも出場し、2012年のロンドンオリンピックにも選手として参加した。世界的に有名な障害者アスリートだったが、2013年、自宅にて恋人を射殺したとして逮捕。裁判の結果、殺人罪が確定している。
7）2020年の東京大会ではパラリンピックレコードがオリンピックレコードを上回るのではないかという話が出てきたほど。片足義足のマルクス・レーム氏は、走り幅跳びで8.48メートルという記録保持者。健常者記録の8.95メートルには及ばないが、日本記録は8.4メートルなのですでに抜かれている（いずれも2019年時点）。

汎用サイボーグが活躍する日は近い？

　現時点では特定の競技に限定した単機能しか獲得できていないですが、義手や義足が生身の機能を上回る性能を保持し、脳神経で操作することが普通になる時代の到来も絵空事ではありません[8]。

　エクスアームはすでにある程度の完成に近づきつつあります。脳波と視線でコントロールが可能で、簡単な物をつかんだり押さえたりといったレベルであればすでに実現済みです。これは必ずしも既存の手の代替品でなくてもよいわけで、たとえば暑い夏の日、エクスアームに傘を持たせて、うちわで扇いでもらいながら、両手でゲームしながら歩くなんてのもできるようになるでしょう〈第1図〉。

　脳波インターフェイス[9]は昔は頭に山ほどの電極をとりつけなければいけなかったのが、現在は数個のセンサーで読み取るレベルにまで来ています。まだ情報の分解能が甘く精密制御は困難で、豆を箸でつまんだりといった器用さを求められる作業はできません。しかし所詮は程度の問題です。1946年当時、最先端コンピュータのENIACは部屋ひとつを占めていました〈写真❸〉しかし現在われわれが個人レベルで普通に所持しているスマホはポケットに収まってしまうサイズまで小型化し

〈第1図〉アシュラマン風に使えるエクスアーム

〈写真❸〉幅24メートル×高さ2.5メートルもあったENIAC

8）生身以上の性能、すなわちエクストラな性能を有するということで本講では以降、エクスアーム、エクスフットと呼称する。
9）専門的にはBrain-computer Interface、略してBCIと呼ばれる。

ています。脳波インターフェイスの精度もどんどん研鑽が積み重なっていくことでしょう。

　それ以外にも人体パーツはいろいろ研究開発が進んでいます。関節、内耳、血管などはすでに人工物が実用化。どんどん技術向上されている最中です。

　人工心肺も現在は手術中に患者の生命を保つための大型のもので、とても体内に収められるレベルではありません。ただしこちらも脳波インターフェイス同様に程度問題の話なので、いつブレイクスルーが起こってもおかしくないでしょう。

　目についても未来を感じられる研究が行われています。従来の義眼といえば眼球を失ったあと、眼窩やまぶたの形状を保つために使われるものでした。造形技術の向上により本物そっくりの義眼も作られるようになりましたが、これは当然見た目だけで"見える"わけではありません。しかし、バイオニックアイという、視神経と網膜を極小のチップでつなげ、直接視覚信号を伝えるという技術開発が進んでいます。現時点ではモノクロで、かつ1000ピクセル程度の解像度なうえ、サポートのための機材を腰につけなければなりません。それでも全盲状態の人が"見えるようになる"という事実は衝撃的と言えるでしょう。なお、バイオニックアイはすでに実用化ベースにも乗っており、アメリカではSecond Sight社がFDA[10] の認可も取得して販売を開始しています〈写真**4**〉。

　現時点での実現具合から考えると、今後の技術革新により完全なるデジタル眼の可能性も十分にありうるでしょう。デジタル化が実

〈写真**4**〉Second Sight社のWebサイト
（https://www.secondsight.com/）

---

10) 正式にはFood and Drug Administrationといい、アメリカ食品医薬品局と訳される。FDAの管掌対象は多岐にわたり、日本における厚生労働省の役割も担当。医療機器の認可を司る。

現すればISO感度の変更により、暗闇を見れるようになるかもしれません。さらに生身の人間には見えない波長を見たり、赤外線モードで温度を見たり、なんてこともありえます。

〈写真5〉無線周波数で人影を捉える技術
(https://www.youtube.com/watch?v=7LTr02cJkiA)

　すでにそうした技術の研究も行われており、たとえば2015年にはマサチューセッツ工科大学の研究チームがWi-Fiなどの周波数帯の可視化に成功したと発表しました。壁の向こう側に何があるか、うかがい知ることが可能です〈写真5〉。

　純粋な視力向上については、カメラ内蔵のコンタクトレンズがすでに開発ずみ[11]。これにズーム機能が搭載されれば、はるか遠くを見ることなんて余裕です。ほかにも、リング状に設置された電極でレンズの分厚さを調整して望遠機能を付与するという実験も行われています。

　義眼のところでも触れた赤外線ですが、コンタクトレンズではとっくに実現、これを悪用した事件もありました。2013年、フランスのカジノで赤外線コンタクトレンズと専用の赤外線反射インクでマーキングしたトランプを使ってイカサマをしたのです[12]。

　機械化からずれてしまうのでサイボーグではないのですが、余談をひとつ。実は、光感受性分子を眼に直接投与することでコンタクトいらずで赤外線を見えるようにするという実験も行われています。これが成功すれば、仰々しいナイトビジョンなど無用の長物と化し、目薬一発で夜戦余裕という時代が来るかもしれません。

---

11) いわゆるスマートコンタクトレンズ。2014年にGoogleがカメラ内蔵コンタクトレンズの開発を発表し、話題になった。2016年にはソニーやSamsungが、それぞれスマートコンタクトレンズに関する特許を申請している。
12) このケースでは事前にカジノ従業員の買収をしたり、イカサマ時に協力者を配置したりとかなり大掛かりなものだった。赤外線コンタクトレンズがあったからイカサマ楽勝というわけではない。ちなみに摘発された結果、実行犯には2年の懲役と約1,300万円の罰金、計画した主犯には3年の懲役と約1,300万円の罰金が科せられることとなった（罰金額は判決時のレート）。

則巻アラレがアラワレる日はもう時間の問題か？

ここまでは既存の人体をアレコレするサイボーグ技術について触れてきました。一方のアンドロイドは、ゼロから作り上げなければなりません。いっそうハードルが高そうですが、実はここも意外なほどノンフィクションに近づきつつあります。

2018年にソフトバンクがGoogleから買収したことで一部で話題になったアメリカのボストン・ダイナミクス社。同社の開発したATLASの姿勢制御技術には目をみはるものがあります。結構なスピードで走り、強く押されても踏みとどまり、段差を軽やかに駆け上がり、しまいにはバク宙まで披露する〈写真6〉。筆者は本講において「技術としては成立しているので、あとは精度の問題」という趣旨のことを何度か述べてきました。ATLASについては精度面においてもかなりのレベルに達していると言えるでしょう[13]。

また外装も日本や中国のラブドールの完成度はもはや生身をしのぐ、別次元の美しさに到達しています[14]。単機能であれば、家事などをこなすハウスロイドや夜のお相手をしてくれるセクサロイドといったものの登場は、もはや時間の問題でしょう[15]。

ちなみにこうした技術は軍事利用も研究されているもので、前述のボストン・ダイナミクス社ももともとは米軍との関わりが強い企業でした。

〈写真6〉華麗なバク宙を決めるATLAS
（出典：https://www.youtube.com/watch?time_
continue=26&v=fRj34o4hN4I）

13）これについてはぜひ動画を観てもらいたい。You Tubeにボストン・ダイナミクス公式チャンネル（https://www.youtube.com/
user/BostonDynamics/featured）が用意されているので、レッツアクセス！
14）本来であれば参考画像を掲載したいところだが、モノがモノなので……。興味のある18歳以上の読者諸氏は「オリエント工業」
「SINO-DOLL」などでググるべし。純粋に造形美としてすごいよ！
15）このあたりは普通のアンドロイドとはまたちょっと違った特殊事情があるので、「第12講 ちょいとHな科学設定」にて詳しく解説
する。

バッテリーが持たねぇ！ 電池のピンチ

　戦闘用アンドロイドについては、過酷な環境下で自律駆動する技術も、敵をバッタバッタとなぎ倒す攻撃力も、やろうと思えば飛行能力の付加も、それぞれは十分に実現なレベルまできています。しかし現時点で見通しが立っていないものも存在。それ超強力アンドロイドを長時

〈写真❼〉受賞はブレイクスルーの端緒になる？
（出典：https://www.ceatec.com/ja/outline/outline04_01.html#f02）

間稼働させ続けるための電力問題です。小型・大容量化が可能となる全固体電池[16] もようやく登場してきましたが、本稿執筆時点ではリチウムポリマー電池より少し密度が高く、一方で爆発危険度は低下したという程度。正直、バリバリ動きまくるアンドロイド実現のためのブレイクスルーとまではまだ行っていません。しかし2019年のCEATEC AWARDでは村田製作所の酸化物全固体電池が経済産業大臣賞を受賞しました〈写真❼〉。CEATEC AWARDは「イノベーション性が高く優れていると評価できるものを審査・選考し、表彰するもの」なので、ここから一気にスピードがアップするかもしれません。

ほかにもあるぞ機械化人間の弱点とは

　仮に容量十分な電池が開発されたとして、それでアンドロイドが一気に実現するか……残念ながらそういうわけでもありません。いろいろな問題が横たわっています。実は必ずしも機械の方が優れているわけではないのです。

　まず人間には普通に備わっている自然治癒力ですが、機械にはこの機

---

16) われわれが日常で使用している電池は、液体電池と呼ばれるもの。電気を起こすための電解質は、基本的に有害なものである。電解質が液体だと、液漏れを防ぐために丈夫な容器が必要になるなど、さまざま制限が加わってしまう。電解質が固体になれば制限が取り払われ、理論上電池性能が飛躍的に向上する。

〈写真8〉蔵馬に乗っ取られた妖鋼獣ガタスバル
『幽☆遊☆白書』第7巻155ページより（冨樫義博
／集英社／1992年）

能はありません。エクスアームやデジタル眼のようなパーツレベルのサイボーグであれば大きな問題になりませんが、『攻殻機動隊』の全身義体のように機械が体内深くに入り込んでいたり、アンドロイドのようにすべて機械だったりした場合。生身であればちょっとしたトラブル程度にしかならない、些末な機械故障が"死"へと直結してしまいます。

　また機械化するということは、機械ならではの脆弱性を体内に取り込むということです。たとえばハッキング。機械部分を乗っ取られる恐れは考えなければなりません。フィクションでもこういった描写はしばしば登場します。そう、今や『幽☆遊☆白書』の暗黒武術会編において、Dr.イチガキが作り出したガタスバルを蔵馬がハッキングして支配したケースはフィクション上の問題ではないのです〈写真8〉。

　しかし、技術はそうしたカウンターテクノロジーも取り込み、そのフィードバックによって成長していくもの。いま挙げたような弱点も試行錯誤の結果、いつの日か克服していくことでしょう。

　いかがでしたか？　サイボーグとアンドロイドの今、という観点からいろいろな最新情報をお伝えしてきました。ぶっちゃけるとこの手の技術は日進月歩。本講で筆者が「かもしれません」「でしょう」としていたことが、読者の皆さんが読んでいる今このときには当たり前になっている可能性だってあります。

　それはそれで……いや、それこそが科学進歩の素晴らしさなのです。

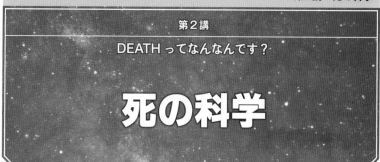

第2講

DEATHってなんなんです？

死の科学

参考作品 **Angel Beats!**

死後の世界を描いたアニメ作品。青春時代に何らかの未練がある死者が集まる学園を舞台に青春ドラマが繰り広げられる。学園生活を謳歌し、十分に満足することで未練がなくなった死者は消滅する。

▶死者を扱う作品群
イキガミ、死役所、Another、屍鬼、Death Note

映画やマンガなどのフィクションにおいて「死」は物語の終焉であったり、転機となるエッセンスであったりと、世界を一変させるイベントです。とにかく創作と死は切り離せない関係性で、前作「アリエナクナイ科学ノ教科書」においても「不老不死」「人間の耐久性」などとして、関連項目を扱ってきました。

本講では改めてそのものズバリ、死について考えていきましょう。科学の進歩により「死」はかなり曖昧なものになってきました。

NO脳はNONO! 生きるための原理とは？

人間の生命を維持する根幹といえば、脳と心臓。このどちらかが壊れると人は死んでしまいます。当たり前のことと思うかもしれませんが、では「なんで脳か心臓が壊れると死ぬか教えて」と言われてスラスラ説

明できますか？　「はて……？」と言葉に詰まってしまう人も多いんじゃないでしょうか。

　答えを言ってしまうと非常に簡単、"酸欠"になってしまうからです。「えっ、脳も心臓も関係ないじゃん！」とツッコミを入れたくなったアナタ、チョット待って！　ここで人間が生命を維持している状態というものを考えてみましょう。生命を維持するには、代謝を行うために酸素をまんべんなく全細胞に行き渡らせなければなりません。全細胞に酸素を送り届けるために全身には血管が張り巡らされており、血管を流れる血液によって酸素が供給されていることはご承知のとおり。そして血液を流すためのポンプが心臓なわけですから、ここが破壊されると生命を維持できなくなってしまいます。そして心臓を動かしているのが脳なのですが、非常に脆い臓器です。大きな弱点なので堅い頭蓋骨[1]でガードされているというわけ。

　ざっくりとですが改めて心臓と脳の重要性がわかっていただけましたでしょうか？　さてしかし、なにか重要なことが抜けています。生命の維持には酸素が必要で、酸素を全身に行き渡らせるためには心臓と脳が必要。酸素、酸素……あれ？　酸素ってどこから来るんだっけ？　そう、光合成ができるわけではない人間は、酸素を外気から取り入れなくてはなりません。そのための器官は？　はい、肺です。ちょっと忘れられがちですが、肺って超重要な臓器だったりします。

〈第1図〉どれが欠けてもいけない肺・心臓・脳

　ということで再度まとめ直すと"呼吸ー心臓ー脳"この３つが常に支え合って初めて生命維持が可能になります〈第１図〉。３つのうちのいずれか

1）そんな頭蓋骨に関して、スイスのベルン大学の研究チームが「Are full or empty beer bottles sturdier and does their fracture-threshold suffice to break the human skull?」、意訳すると「未開封のビール瓶と空のビール瓶はどちらが丈夫で、それらは人間の頭蓋骨を破壊するだけの威力を持つのか？」という論文を発表。2009年のイグノーベル賞平和賞を受賞した。なお、当研究によると空のビール瓶は40ジュール、未開封ビール瓶は30ジュールの衝撃まで割れなかったとのこと。また、頭蓋骨へのダメージは中身が詰まっている未開封瓶のほうが重いため、空瓶の1.7倍だったそうだ。とはいえ空瓶でも頭蓋骨を骨折させるには十分な威力を有していると結論づけている。

が壊れると、支え合いも崩壊。時間差こそあれ、死に至るわけです。

そしてこの生命維持の3要素を理解すると、死への理解が早まります。

脳へのダメージと死の関係：首なしで生きたニワトリから

3要素のうち、心臓への直接ダメージはシンプルな話。全身に酸素を送り込むポンプが壊れたため、生命が維持できなくなりましたということです。

では脳へのダメージはどうでしょうか？ 前述の通り、心臓を動かしているのが脳なため、脳が破壊されると心臓が止まり全身に酸素が供給できなくなるという仕組みに変わりはありません。しかしポンプ自体が壊れているわけではない、これがポイントです。脳のダメージと残された身体には一定のズレが生じます。たとえば脳死。脳死は脳の重要機能が失われ、全身の機能維持も不可能な状態です。自発呼吸もできず、命を保つには人工呼吸器など外部からのアプローチが欠かせません[2]。だからこそ、脳死は"人の死"として認められているのです。ただしかし、完全に脳が全壊しているかといえば必ずしもそうではなく、部分的には機能している場所があったりもします。そうした機能している部分により、脳死者が声を発したり手足を動かしたりすることが発生。この現象を新約聖書で復活した人の名を取ってラザロ[3]徴候と呼びます。

また、首を失った状態でも生き続けたケースも紹介しておきましょう。といっても人間の話ではありません。アメリカにいたミラクルマイクという鶏なのですが、1945年9月から1947年3月の1年半、首なしの状態で生き続けました[4]。

本来食肉用鶏だったミラクルマイクは、生後5か月時点で屠殺目的で首をはねられます。しかしその後もそれまでと変わらず歩きまわったり、

2）同じ脳にダメージがある場合でも意思表示などはできないが脳幹の機能は失われておらず、自発呼吸をはじめ基本的な生命維持が行われている場合は植物状態という。
3）イエス・キリストの友人。新約聖書「ヨハネによる福音書11章」にて死後4日経っている状態からイエスによって蘇らされた。ラザロ復活により人々はイエスを信じるようになった一方、権力者により危険視され、殺害を企てられるようにもなる。
4）鶏の平均寿命は約10年とされている。人間に置き換えると、12年くらい首なしで生き続けたことに。

〈写真**1**〉興行的に大成功したミラクルマイク

出典：Wikipedia「首無しマイク」より

はねづくろいや餌をついばむ仕草を見せたりするなど、動作に変化がありませんでした〈写真**1**〉。その後、ミラクルマイクは見世物として大成功を収めます[5]。

　ミラクルマイクは当時の科学者の興味を引き、調査も行われました。結果、ミラクルマイクは首をはねられたものの、偶然血液がすぐに凝固し、また脳幹と片耳が残っていたため生き続けられたのだろうとの推論が示されます。

　そんなミラクルマイクですが、首がないので当然自分で食事はとれません。食道にダイレクトで水を餌を流し込み、見世物人生……いや鶏生を継続。なんと体重は首チョンパ時の1.1kgから3.6kgまで増加したそうです。また、彼の最期は食道から流し込まれた餌が詰まって窒息死してしまったというもの。適切な栄養補給が行われていればもっと生き続けた可能性は高いでしょう。

人間は特に注意すべし！　脳は超弱点なんだのう!!

　話を人間に戻します。人間は多くの動物の中でも特に脳が進化した特殊な生き物です。逆にここが弱点にもなっており、実際に日本における死刑では、絞首刑として首にロープをかけて、体重で頚動脈を圧迫したり、頚椎に致命的なダメージを与えたりするようになっているわけです。

　また、後ろから首に腕をまわしてそのまま相手の意識を落とす、チョークスリーパーという技があります。これは腕力だけでなく、てこをかけて頚動脈と頚静脈を圧迫するわけです。すると脳に向かう血流が激減、これだけで人間はたった15〜20秒で意識がショートしてしまいます

5）ミラクルマイクに続けと、アメリカでは鶏の首チョンパ祭りが開催された。しかしマイク同様に長生きした個体はおらず、ただの虐殺大会に……。南無。

〈第2図〉チョークスリーパーで落ちる仕組み

〈第2図〉。しかし、その後意識が回復せず絶命に至ることもあるため、遊び半分で行っては絶対にいけません。

また、同じく絶対にやってはいけないのが"失神ゲーム"です。こちらは意図的に脳に酸素が足りていると誤認させて意識を失わせます。その様子を見て楽しむいじめに使われたり、ときには浮遊感覚を楽しむために自ら行ったりするのですが、死亡事故が多数発生。後遺障害が残るケースも少なくありません。古来より、特に学校で行われがちで、当然一定の割合で事故も起こっています。読者の皆さんはくれぐれも手を出さないでください[6]。

意外とすぐになる？　窒息の鉄則

首を絞めることによる窒息はわかりやすいですが、それ以外にもさまざまなシチュエーションで窒息は起こります。

そもそも呼吸とは、肺が自発的に膨らんだり縮んだりしているわけではありません。肺の下の横隔膜の伸縮運動によって呼吸は行われているのです。なので伸縮運動が止まれば呼吸ができなくなってしまいます。これを引き起こすのは、胸部を圧迫するだけと結構簡単。

災害時、瓦礫の下敷きになって死亡してしまうことがあります。もちろん外傷的ダメージによるものもあるのですが、意外と瓦礫の重量によって胸部が圧迫され窒息死していることが多いのです。体重の2〜3倍の重さが、約1時間乗っていたことにより死亡した例もあるほど。体重の2〜3倍、これも意外と簡単に実現可能で、たとえば砂浜の砂も

6）2016年、同級生に失神ゲームをかけたとして中学生2人が逮捕。幸運にもこのケースでは失神ゲームを欠けられた生徒には怪我はなかった。しかし2017年には失神ゲームをしていた小学児童が一時意識不明となり、病院に搬送されたケースも。なお、アメリカでは年間40人ほどがこの失神ゲームによって死亡している。

100立方センチメートルあたり２〜
３kg程度あり、加えて水を含むと重量
はドカンと増します。すなわち、砂浜
で横倒しにした人の上にこんもりと砂
を盛っていくだけで数値上は圧迫死し
かねないということに……〈第３図〉。
夏のリア充がやっていそうですが、見
方によっては死の儀式です。遊びで人
を砂に埋めたりするのは避けたほうが
よいでしょう[7]。

〈第３図〉実は危ない夏の風物詩

とどのつまり人の死はすべて窒息？

　銃で撃たれた、日本刀で袈裟斬りされた、といった派手なシチュエー
ション。こうした状況だと動脈がバッサリいって凄まじい開放創ができ
ます。すると血圧が急激に低下。その結果、脳に血液が行かなくなって
意識がなくなり、止血延命処理をしなければ死に至ります。

　基本的に即死レベルな出来事なのですが、たとえば戦場で突撃銃を
持っている相手を撃ち殺した場合。それでも相手が銃を乱射してくる
ケースがしばしば起こります。これが非常に恐ろしいということで、銃
で相手を撃った際、相手を行動不能にする指数としてストッピングパ
ワーという概念がアメリカで提唱されるようになりました[8]。死んでも
人はなかなか死なないのです。

　毒殺も基本的には臓器の一部を止めるか、青酸や一酸化炭素のように
物理的に血液を破壊しにいくかというアプローチ。そのもたらす結果は、
"細胞の呼吸を止める"というところで落ち着きます。

　そう考えると、銃撃も打撃も斬撃も電撃さえも、実は細胞の窒息死な

7）地圧はさらに高いので、穴を掘って首から下を埋めるようなことは危険度爆上がりである。
8）Stopping Power。このストッピングパワーについては、本書にも執筆参加している亜留間次郎氏の単著「アリエナイ理科式　世
　界征服マニュアル」で異様に詳しく解説しているので気になる人は買って読むべし！

のです。いずれのケースも意識を失うまでがまずワンセットになります。そのあと回復が可能か不可能かに分岐、そして細胞の窒息が全身に波及し、最終的に細胞が窒息しつくしたところで初めて"完全なる死"が訪れるわけです。

死ぬほどややこしい複雑化する死：科学と倫理の狭間で

しかし現在の医療水準では、深い昏睡状態となり、自律呼吸が不可能な脳死者であっても人工呼吸器など適切な補助を行うことで相当な延命が可能になりました。

脳死まで行かなくても、10年前なら当たり前に死んでいた患者が、少なくとも身体だけは生かし続けられるなんてことが普通にできてしまうのです。

これが倫理的問題となっています。日本では高齢者の年金や医療保険に家族がぶら下がっていることがあり、回復が見込めない昏睡患者を生活のために無理やり生かし続ける……なんてケースがあるほど。

ジャンルが社会科学になりますが、少し詳しく解説しましょう。仮に月々の年金収入が25万円ある70歳になりたての高齢者X氏が千葉県松戸市に住んでいたとします。高齢者であっても国民健康保険には入る義務があり、このケースでは月の保険料は16,000円ほどでこのほか所得税も発生。解説を簡単にするためここでは手取り月収22万円としましょう。その後、X氏が昏睡状態となり長期入院生活に入りました。入院生活にはもちろん多額の費用が発生します。しかし日本の健康保険には、月々の医療費が一定額以上になるとすべて戻ってくる、高額療養費というステキな制度があるのです。X氏の場合、入院月から3か月は57,600円、4か月目以降は44,400円以上の医療費は高額療養費として戻ってくるわけです[9]。するとX氏が生きている限り、17万円ほ

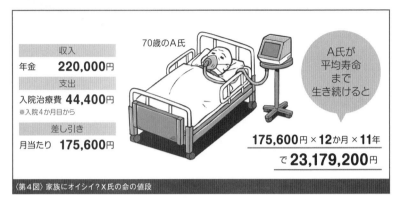

70歳のA氏

収入	
年金	**220,000**円

支出	
入院治療費	**44,400**円
※入院4か月目から	

差し引き	
月当たり	**175,600**円

A氏が平均寿命まで生き続けると

175,600円 × **12**か月 × **11**年
で **23,179,200**円

〈第4図〉家族にオイシイ？X氏の命の値段

どがプラスになるという計算〈第4図〉。仮にX氏が男性の平均寿命の81歳まで生きた場合、2,300万円ほど儲かります。もちろん試算は超絶単純化したものなので、このとおりになんていくわけありませんが、それだけの金があり、それに家族がぶら下がると地獄が生まれるのです。

　また医療の進歩は死の定義を変貌させつつあります。心臓も呼吸も止まり、かつての概念では完全に死んだ人が、数時間後に行われた医療行為によって蘇生したケースがありました。また脳から記憶や人格を抽出する試みも、実験段階ではあるものの着実に研究が進んでいます[10]。

　今後テクノロジーの進歩によって、こうした死の曖昧さには一層拍車がかかってくるでしょう。そんな時代に私たちは生きているのです。

10）このあたりについては前作「アリエナクナイ科学ノ教科書」第1講不老不死にて詳しく解説している。

第3講

これも略せばSFじゃい！

サバイバルフィクションのお作法

参考作品 ≫≫ **サバイバル**

マンガ界の巨匠・さいとうたかをによって生み出された、まさしくサバイバルモノの金字塔。巨大地震に襲われた世界を舞台に、島での生存および脱出、都市での彷徨などが描かれる。現実で使えるテクニックも多数登場。

▶サバイバルを扱う作品群
ドラゴンヘッド、東京マグニチュード8.0、彼女を守る51の方法、絶体絶命都市シリーズ

　改めてですが本書はディスカバリーチャンネルのWebページ連載を全面改稿し、単行本化したものです。そして本家ディスカバリーチャンネルといえば、さまざまな優良コンテンツがあり、中でもサバイバル番組は有名です。ベア・グリルス氏出演の『サバイバルゲーム』や、エド・スタフォード氏出演の『ザ・秘境生活』ではさまざまなサバイバルテクニックが披露されています〈写真**1**、**2**〉。

〈写真**1**〉自作の槍でナマズを獲るベア・グリルス氏
『サバイバルゲーム』S4ベトナムより

〈写真**2**〉火を起こそうとするも失敗するエド氏
『ザ・秘境生活』ボルネオ編より

フィクションにおいてもサバイバルものは人気ジャンルのひとつです。極限環境に置かれた登場人物が機転をきかせ、その場にあるものをうまく利用して困難を乗り切るかが「見せ場」になります。

そして筆者のもとに持ちかけられるのは、さまざまな依頼主から「こんなシチュエーションを切り抜けるにはどんな方法がありますか？」という相談の数々。そう、筆者が請け負う科学監修には、サバイバルテクニックに関するものも多く含まれるのです。本講では、サバイバルものの基本と注意点などを紹介していこうと思います。

まずはマズローの5段階欲求で考える

サバイバルにおいてキャラクターの行動を決めさせるとき、常に頭に置いておくべきもの、それがマズローの5段階欲求です〈第1図〉。これは心理学者・アブラハム・マズローが提唱した概念で、超ざっくり説明すると"人間の欲求には5つのレベルがあり、その最上位は自己実現である"という考え方[1]。現在でもマーケティングなどで広く取り入れられている、かなり有名な考え方なのですが、サバイバルフィクションにおいても非常に参考になります。というか人間の本質的有り様を示した概念なので、むしろこれに則らないと違和感が生じてしまうでしょう。

ただ、サバイバルという観点からは少し注意が必要です。マズローの5段階欲求では生理的欲求が最低位にあり、そのうえに安全の欲求があるとされています。しかし、生きるか死ぬかと

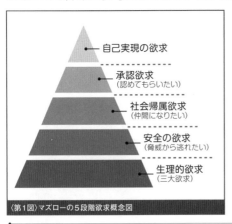

〈第1図〉マズローの5段階欲求概念図

自己実現の欲求

承認欲求
（認めてもらいたい）

社会帰属欲求
（仲間になりたい）

安全の欲求
（脅威から逃れたい）

生理的欲求
（三大欲求）

1）なお、マズローは晩年になって自己実現のさらに上に、"自己超越"という段階があると発表した。

いうサバイバル状況下では生理的欲求と安全の欲求は上位下位の関係ではなく、混在した感じになるでしょう。

とにもかくにもまずは"危険からの退避"が重要。倒れそうな建物から遠ざかる、水がきていれば高台に移動する、ゾンビの群れがきたら立てこもる場所を探す……など、とりあえず「死なない」「ダメージを受けない」ことが最優先事項となります。　その後、ある程度脅威から遠ざかったところで人間模様が描かれる、その脅威を打破するために知恵を働かせる、などのドラマが展開していくわけです。これはつまり、ちゃんと脅威を打破できなければドラマを展開させる余地がないとも言えます。ということで、ここからは「どうすれば脅威を打破できるのか」にフォーカスしていきましょう。

野外か都市か、それが問題だ

まず、これは現実においても変わらないのですが、サバイバルの舞台が野外型なのか都市型なのかでアプローチは大きく変わってきます。ここでいう野外とは、無人島に不時着ないし漂流……に代表される、何もない大自然環境に放り込まれる類型のこと[2]。この場合、「まず、どうにかして火を起こさねば！」といった感じの物語になります。

もちろん作品ごとに千差万別ではありますが、野外型にも都市型にもそれぞれ大きな枠組みが存在。まずは野外型から確認していきましょう。野外型の流れは以下の通りです。

> **野外サバイバルの流れ**
> 1）身の安全の確保：危険から遠ざかる（野外サバイバルではあまり
> 　　描かれない）
> 2）水の確保：人間は栄養がなくても身体の備蓄でなんとかなるが水

2）野外型では物語の進行に伴い、先に流れ着いた漂流者や原住民など、他者と何らか邂逅を果たすことも少なくない。この他者との関わりも、先着者がすでに死んでいるのか生きているのか、協力関係を結べるか敵対関係に陥るかなど、物語の重要なポイントになりがちだ。

　　はどうにもならないので最優先課題となる

　3）火＋シェルターの確保：サバイバルのための探索のベースキャン
　　　プとなる場所を設営

　4）食料の調達：食べれらるもの食べられないもの、調理法などの知
　　　恵が問われる

　5）脱出経路を探す＋移動：もとの世界に戻るための計画を立案し→
　　　実行へ

　冒頭で紹介した、ディスカバリーチャンネルのサバイバル番組でも、ほぼこの流れでサバイバルが行われています。実際の遭難事故でも、生還できるパターンはこの流れに乗った場合です。逆に言うと、この順番を間違えると即座に詰み、ゲームオーバー。その先にあるのは、死しかありません。

　たとえば複数人での遭難において、水も食料も安全も確保せず、計画も立てずじまい。にも関わらず、騒ぎ、いがみ合い、とにかく救出されるワンチャンに賭けて彷徨う……その先に待っているのは安っぽいデッドエンドです。

　では都市型サバイバルの場合はどうなるのでしょうか？　都市型は、平凡な日常を送っていたところに何らかの災害に見舞われるというパターン[3]。壊滅的なダメージを喰らっているものの、少なくとも物語初期時点では資源自体は豊富です[4]。そうした資源を、インフラが失われた状況下で使いこなしていく手腕に"サバイバルらしさ"が出てきます。こちらの流れも見ておきましょう。

都市型サバイバルの流れ

　1）身の安全の確保：危険から遠ざかる（倒れる建物、燃える構造物、
　　　爆発しそうな何かから遠ざかる、など序盤のハイライトとなる）

3）多くは地震に代表される自然災害だが、研究施設からのウィルス流出や、ゾンビ発生などのパターンも少なくない。
4）もちろん時間の経過により資源はどんどん減少していくので、物語中盤以降は"いかに資源を外部から調達するか""どうやって資源を生産していくか"という点もドラマを彩る要素となっていく。

2）水の確保：汚水を避け綺麗な水を得ること

3）シェルターの確保＋暖や食料：ひとまずの危険から身を守る場所を探す

4）仲間の確保：都市型サバイバルでは重要視されやすい

5）生存計画を作る＋実行：変わってしまった世界を受け入れ対応する策を練る

　ご覧いただくとおわかりでしょうが、野外型も都市型も、基本的な流れは同じです。大きく異なるのは初期資源、そして何よりゴールです。

　野外型の場合、シチュエーションはあくまで遭難。サバイバルの目的は、今の環境から抜け出し、元の社会へと戻ることです[5]。すなわちサバイバルの先にはハッピーエンドが待ってくれています[6]。

　一方、都市型はなかなかにやっかい。もちろん局地的自然災害などで最終的に元の世界に戻るものもありますが、どちらかというと少数派でしょう。たとえば大地震が起こった東京を描いたテレビアニメ『東京マグニチュード8.0』では最終回で復興に動き出す様が描かれていました〈写真❸〉。ただ、主流は「その日を境に世界は変わってしまった……」で、特にゾンビモノはその傾向が顕著です。たいていのゾンビモノは、ワールドワイドでゾンビ汚染（笑）されており、有効な解決策が見いだせません。その結果、いいとこ最後のシェルターに逃げ込むか、「明日はどっちだ」的な投げっぱなしで終了することも……。

〈写真❸〉倒壊した東京タワーの立て直し
『東京マグニチュード8.0』12話より

©東京マグニチュード8.0製作委員会

5）自発的に脱出するケースがある一方、とにかく生き延び続けて救出されるケースもある。後者の目的は必ずしも"抜け出すこと"ではないが、ことフィクションの場合は最終的には抜け出せることが多い。

6）ただ、いくたの困難を乗り越えて愛する家族の元に帰ったら、家族の方はとっくに死んだものとして新しい人生を歩んでいた……なんてパターンも結構あるので油断できない。

創作なんだから！　割り切りも大切!!

それはさておき、リアル遭難ではないフィクションでは核となるのはあくまで人間ドラマ。野外型でも郊外型でもサバイバル手法を微に入り細を穿って描写することが正義というわけではありません。流れの1〜3あたりは「誰かがうまくやってくれた！」くらいの割り切りも必要です。また、注意点は、あまりうまくやりすぎてもいけないということ。完全に安定した環境を構築してしまうとアクシデントの入り込む余地もありません。愛憎劇などを描くうえでは、"ギリギリ安定しているが脆い"ことが必要なわけです。最低限の環境がなんとかなっている、これがフィクションにおけるサバイバルで用意すべき環境ということですね！

とはいえサバイバルものですから、要所要所ではしっかりと描写すべきパートもあります。例を挙げると"火をおこす""水を確保する""食料を調達する"といったあたりが該当するでしょう。こういったところにどう機転を利かすかが、作品の面白さを左右するポイントになってきます。

特に火と水は絶対的に必要なうえ、われわれが日常生活で直接的に触れているもの。この描写については最低限の知識がないとさすがに怪しさがでてきてしまいます。続いては火と水のお作法を紹介しておきましょう。

火起こしにベストマッチなメタルマッチ

まずは火です。火起こしは野外型と都市型でアプローチが異なります。

野外型、すなわち装備ゼロで火を起こすのは非常に困難。原始時代に人類が火を起こすのに苦労に苦労を重ねていたわけで、かのベア・グリルス氏ですら『サバイバルゲーム』の大半の回で、メタルマッチというマグネシウム合金の棒とナイフで火花を起こしています[7]。

---

7) ただ、ベア・グリルス氏がメタルマッチを多用するのは、番組の構成面の事情もあると思われる。毎回面倒な火起こしで時間を喰っていたらエンタメ番組としては成立しないということ。

メタルマッチがサバイバルに優れている理由は、過酷な環境に極めて強いこと〈写真4〉。普通のライターやマッチは水濡れや砂噛みすると速攻で使えなくなってしまいます。また、マッチは携帯用のもので40本程度、家庭用の大型なものでも1,000本は入っていません。またライターもガスが尽きれば終了。つまり持続性が低いのです。ライターやマッチはあくまで平時のグッズであり、サバイバルには向いていません。ちなみに、火起こしと聞いて多くの人がイメージするであろう細い棒を両手で回転させてというアレ。自然環境において摩擦で火を点けるのは、乾燥地帯であればともかく、ある程度以上の湿度があるようなところではプロでも非常に困難です。まして多湿な日本で素人が行うのは無理と言って差し支えないでしょう〈第2図〉。

〈写真4〉Amazonで数百円くらい買えるメタルマッチ

〈第2図〉多湿地帯では不可能に近い火起こし

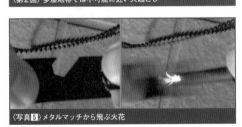
〈写真5〉メタルマッチから飛ぶ火花

　その点、メタルマッチはナイフやとがった石などをぶつけると温度の高い火花が簡単に飛び散ります〈写真5〉。これを燃えやすい火口[8]に

8）読み方は「ほぐち」。糸くずやティッシュペーパー、オガクズ、枯れ葉などが火口となる。野外サバイバルでは、乾燥したコケ、ガマの穂なども使用できる。

引火させて火を育てていくのがサバイバルにおいての火起こしの基本。まさにマストアイテムと言うべき存在ですが、仮にメタルマッチがなくても、炭素鋼のヤスリや釘でも1本あれば、固い石に打ち付けることで火花を作れます[9]。

都市型での着火はよりどりみどり

　一方、都市型サバイバルであれば利用できるものは山のようにあり、着火自体のハードルは高くありません。代表的なものが電池。9V電池を細くしたガムの包み紙やアルミホイルにでも接触させて通電させれば即座に発火します。

《トラッキング現象による火災》
　平成30年中、東京消防庁管内では、延長コードの差込みプラグや電気機器の電源プラグのトラッキング現象による火災が前年と同数の34件発生しています。トラッキング現象とは、コンセントに差し込んだプラグの差し刃間に付着した綿埃等が湿気を帯びて微小なスパークを繰り返し、やがて差し刃間に電気回路が形成され出火する現象を言います。
　トラッキング現象による火災は、隠れた部分で発生することから、発見が遅れて思わぬ被害に繋がる場合があります。
　トラッキング現象による火災を防ぐため、差込みプラグは、使用時以外はコンセントから抜くようにしましょう。長時間差したままのプラグ等は、定期的に点検し、乾いた布等で清掃し、発熱等の異常な場合は、交換しましょう。
　特に、埃や湿気の多い環境で使われているものや、家具等の陰に隠れているものには、注意しましょう。

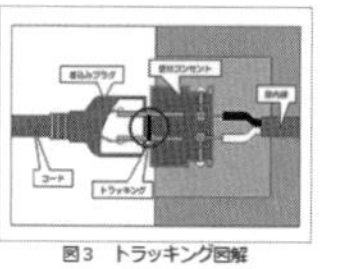

図3　トラッキング図解

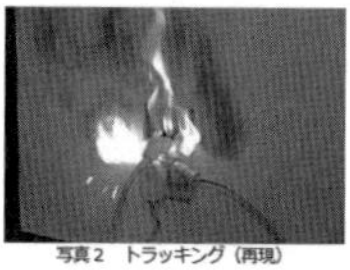

写真2　トラッキング（再現）

〈写真6〉大きな炎が上がることもあるトラッキング現象
出典：東京消防庁2019年8月『広報テーマ』「電気火災を防ごう」より

　停電していない状況下であれば家電製品の差し込みプラグに火口をわざとつけてコンセントに挿し込めばショートして発火〈写真6〉[10]。ほかにも混ぜるだけで発火する薬品の組み合わせも多々あります[11]。

　また、空気入れやシリンダーの部品などのピストン構造物があれば、断熱圧縮も可能。これは、空気を圧縮した際に火口の発火点近い温度にして発火させる方法で、この原理を使ったファイアピストンという商品も普通に市販されています。

　ほかにも適当な電子部品を組み合わせて高電圧を作り針金から火花放

9）火打ち石と言われているものは、石から火が出ているわけではない。石はチャートのような密度の高い石であればなんでもよく、火花自体は鉄から出る。

10）いわゆるトラッキング現象。掃除をせずコンセント部分にたまったホコリによって火事になるケースもある。東京消防庁管内ではトラッキング現象による火事が2016年には28件、2017年には34件、2018年も34件発生している。読者の方々は注意すべし。

11）専門的には混合危険という。ただ、混合危険で起こるのは発火だけでなく、有毒ガス発生や発熱、爆発なども含まれる。発火が起こる混合危険の例としては硝酸×硫化金属、過酸化物×赤リンなど。混ぜるなよ！

電させるのも一案です〈写真**7**〉。紙くら
いにならすぐに着火できてしまいます。

　といった具合で、材料さえあれば着火に
ついてはいくらでも方法はあるという感
じ。都市型は火に関してはハードルは低い
ものの、反面、変なやり方を選ぶと違和感
バリバリになってしまいます。

〈写真**7**〉激しく火花をあげるテスラコイル

水の確保１：野外型はとにかく探せ！

　火に続いては水の確保。実は火よりやっかいです。なぜなら口に入る
もので、かつ前述のとおりサバイバルになくてはならないもの。そして
メタルマッチのような簡単な正解がないのです。防災目的・アウトドア
目的の携帯浄水器はいろいろ市販されていますが、あくまで急場をしの
ぐ程度、濾過能力も万全とはいえません。

　なお、水に関しても野外型と都市型でアプローチが異なります。まず
野外型は泉や小川などの綺麗な水場を探すことを目的化。リアルな話を
してしまうと、綺麗そうな水でも人が飲めるかどうかは微妙なところ
だったりします。寄生虫や軽微な毒が混入しているかどうかは見た目で
はわからず、特に長期的には問題になるでしょう。ただ、フィクション
でリアルさにこだわってばかりいてはいけないというのは前述の通り。
元の世界へと戻る前提の野外型サバイバルモノでは「飲める水があった
ぞ！」という割り切りも必要になってきます。こちらのパターンであれ
ば、脱出後にきちんとしたメディカルチェックが行われるでしょうし。

　あえてリアル度を演出するならば、「念のため、水をいちど沸騰させて
水蒸気にし、それを冷やして液体に戻ってから飲用する」くらいはやっ
ていいかもしれません。これは野外型だけでなく都市型でも使える方法
論です。毒素すべてには対応できませんが、細菌などの病原体リスクを
低減させられます。

水の確保２：都市型は説得力重視で

続いて都市型ですが、水が大きな問題になるのはこちらでしょう。社会インフラが失われている都市型サバイバルでは、当初は各家庭の備蓄飲料や、お店に残された飲料をゲットするなどで対応できます。しかしそうしたものは当たり前ながら再入荷はされませんので、時間が経つにつれどんどん入手が困難になるわけです[12]。

で、野外型と異なり、"そのまま飲める水がある"というのは説得力が皆無。たとえば主人公が「これが最後のミネラルウォーターか。明日から水をどうしよう……。あっ、そうだ！　近所の学校にプールがあったな。濁っているけどあそこの水を飲もうｗｗｗ」とか言い始めたら作者の正気を疑いますよね？

しかし都市型でまとまった水があるものとしてプールが有力なのは事実。ほかにも公園の池、お堀、放置されたままの貯水槽などが考えられます。もちろんいずれもそのまま飲用すれば病気になること請け合いです。フィクションにおいては受け手に「確かにこれをすれば飲んでも大丈夫そう」と思わせれば正解。以下では濁った水を飲用可能にする方法を考えていきましょう。

対濁り大作戦：薬品処理＋煮沸＋簡易浄水

都市に残っている濁り水、ここにはアオコ（藍藻類）が作り出したミクロシスチンなどの毒素、ジェオスミンなどの汚臭源、幾多の寄生虫、病原性細菌がわんさか含まれていると考えられます。

まず、生物の痕跡を消さなければなりません。一番手軽なのが塩素です。カビ取り剤や漂白剤は、都市型サバイバル生活において使用優先度が高くないため手に入る可能性も高いでしょう。

まず濁り水にナトリウム消毒を行います。濁り水を汲んできたら、前

---

12) こうした資源の調達や管理も、都市型サバイバルで描かれる人間ドラマには欠かせない要素。

段階として目に見えるゴミなどを除去し、できるだけ透明に近づけましょう。その後、1.5リットルあたり漂白剤数滴を投入。これで次亜塩素酸ナトリウム濃度は数百〜数十ppmレベルとなり、かなり強い塩素臭を感じるレベルですが飲んで問題ないギリギリのところです。とても美味しいとは言えないものの、脱水や病原体を身体に取り込むリスクを考えれば味なんて気にしていられません。

〈写真❽〉入手難易度の低い浄水器材料

薬品消毒が完了したらお手製浄水器で濾過します。この浄水器の材料も、都市型サバイバルであれば問題なく集められるものばかり。500mlのペットボトル、食器洗いスポンジ、メラミンスポンジ、活性炭入り冷蔵庫用脱臭剤、コーヒーフィルターです〈写真❽〉。

ペットボトルの底を切り取り、そこからコーヒーフィルターで二重に包んだ活

〈写真❾〉完成した浄水器とナトリウム消毒水

性炭、メラミンスポンジ、食器用スポンジの順番で詰め込みましょう。

〈写真❿〉ギリ飲用可能な濾過後ナトリウム消毒水

キャップを少しゆるめて下向きにしたら、切り取った底側からナトリウム消毒水を投入します〈写真❾〉。キャップと飲み口のすき間からポタポタと落ちてきた濾過水、これならば飲用しても大丈夫です〈写真❿〉。

いかがだったでしょうか？　サバイバルも立派な科学なのです！

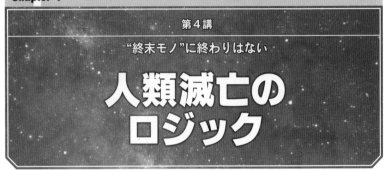

第4講

"終末モノ"に終わりはない

人類滅亡のロジック

参考作品　**宇宙戦艦ヤマト**

デスラー総統率いるガミラス星人からの遊星爆弾攻撃により、地球の地表は死の世界となり、地下都市で暮らす生き残った人類。ヤマトが旅立つ物語開始時点で人類滅亡までの時間は1年とされている。

▶人類滅亡を扱う作品群
風の谷のナウシカ、北斗の拳、ヨコハマ買い出し紀行、人類は衰退しました

　フィクションの世界では「何らかのアクシデントにより人類の大半が死滅。残されたわずかな人々によるドラマを描く」というフレームワークのものが数多く存在します。いわゆる"終末モノ"です。

　映画に限って言えば、巨費を投じて圧倒的な映像美を伴いつつ人類衰退後の世界を描くことも可能ですし、低予算でも残された人類のコミュニティのひとつとして舞台を絞り込んで描くことも可能。また、「都合良く少ない人類で世界をリスタートしたい」「未曾有の危機に相対するヒーローを描きたい」という創作者の欲求を満たしてもくれます。非常に便利な設定です。

　さて冒頭の繰り返しになりますが、終末モノでは「何らかのアクシデントにより人類の大半が死滅」しているのが前提。ゾンビの蔓延、殺人ウィルス、核戦争、"何らかのアクシデント"のド定番はこんなところでしょう。「ひでぶっ!!」「あべし」「あわびゅ」「たわば!!」「ぱっぴっぷっぺっ

「ぽっ」などのステキ断末魔でお馴染み『北斗の拳』の記念すべきひとコマ目、「199X年 世界は核の炎につつまれた!!」はもはや故事成語と言っても構わない気がします〈写真■〉。

現実に目を向けてみると少子化による人口減少に歯止めがかからない日本はとりあえず置いておくとして、世界規模では人類はただいま絶賛増殖中[1]。そんななか人類滅亡が起こるとしたらどんなシチュエーションなのか……という観点から考察していきましょう。

〈写真■〉誰も西暦とは言っていないのだ
『北斗の拳』第1巻5ページ（原作：武論尊、作画：原哲夫／集英社／1984年）

歴史上実績あり！ 天災による人類滅亡

フィクションで絶滅間近な人類を描くのであれば、「世界観に合っていれば理由は何でもいい」と雑な解説になってしまいます。ただ、大きく❶天災、❷戦争、❸生物的淘汰、という3つに分類可能です。

まずは❶の天災から。小惑星や彗星の地球衝突[2]、巨大地震、火山活動、地球温暖化およびそれに伴う海面上昇などが具体例として挙げられるでしょう。

ちょっと古めの作品を中心に、フィクションにおける人類滅亡のシンボルとも言えるのが小惑星の衝突です。隕石落下は今でもニュースになることがありますし、かつて小惑星衝突が恐竜絶滅の引き金となりました。今現在も太陽系内に地球に衝突する可能性のある小惑星は100万

1) 2019年に発表された国連報告書では、世界人口は2050年に97億人になった後、増加スピードが落ち2100年の110億人で頭打ちになると予測されている。ちなみに同報告書で日本人口は2050年に1億580万人、2100年に7496万人になると予測。ちなみにちなみに2017年版の同報告書では2100年の日本人口は8453万人と予測していた。これを受けて「わっ！ 日本の少子高齢化の加速がヤヴァイ」と危機感を覚えるか、「たった2年で1000万人も減るとかw この報告書あてになんのかwww」とツッコむかはアナタの自由。ちなみにちなみにちなみに2017年に公表された国立社会保障・人口問題研究所の推計では3000年に日本人口は2000人になるとのこと。「いや、そのりくつはおかしい」と言いたくなる。
2) 超ざっくり説明すると、観測されたときに長い尾が確認された天体を彗星、確認されなかった天体を小惑星という。ただ、当初小惑星とされていたものが彗星になったり、彗星だと思われていたものが小惑星だったりと、その差は結構あいまい。毎回「彗星や小惑星」とすると鬱陶しいので、本講においては以下便宜的に"小惑星"と表記する。

〈写真②〉巨大なキノコ雲をあげるツァーリ・ボンバ
（https://www.youtube.com/watch?v=30EoIh2kADkより）

個以上あって、わりと結構な頻度でギリギリかすめています[3]。落ちてくる確率は運のようなものなので説得力も問題なく、そういった意味で非常に親しみやすい人類滅亡パターンと言えるでしょう。

　さて恐竜絶滅の引き金になった小惑星についてですが、これは約6600万年前に地球に衝突したチクシュルーブ小惑星です。そのサイズは実に直径15キロメートルという巨大さだったと明らかになっています。チクシュルーブ小惑星の衝突によって発生するエネルギーは膨大としか言いようがなく、科学技術が発展した今の人類の叡智をもってしても匹敵するようなエネルギーを創出することは不可能です。

　人類がこれまでに生み出したもののなかで最も高い破壊エネルギーを有するのはツァーリ・ボンバという核兵器だとされています[4]〈写真②〉。そんなツァーリ・ボンバですらチクシュルーブ小惑星と比べると、エネルギーは数十万〜300万倍以上という圧倒的大差でチクシュルーブ小惑星の勝利。

　「核兵器で小惑星を破壊し……」というのはフィクション界における様式美のようになっています。しかし前述のとおり、核兵器の威力の差はまさにケタ違いです。現代の科学力では地球人類が一致団結して頑張っても、落ちてくる小惑星に対してできることなどありません。小惑星衝突モノといえば1998年に公開され、「ほとんど同じじゃねーか」と総ツッコミを受けた『ディープインパクト』と『アルマゲドン』の2作品があります。『ディープインパクト』の小惑星は直径約13キロメートルと、チクシュルーブ小惑星より一回り小ぶりです。一方の『アルマ

3）2019年7月には直径57〜130メートルと推定される小惑星が地球から約73,000キロメートルの距離まで接近した。月と地球の距離が約38万キロメートルなので、相当近くまで来ていたと言える。ちなみにこの小惑星は最接近の2〜3日前まで発見されていなかった。
4）旧ソ連が開発した水素爆弾。1961年に、一度だけ地球上でのツァーリ・ボンバによる核実験が行われたが、あまりに威力が高すぎるため本来の半分に破壊力を絞られた。それでも広島に落とされた原爆の3000倍以上の破壊力だったという。本文中の写真2は弱体化ツァーリ・ボンバのものである。

ゲドン』の小惑星は、作中で「テキサス州くらいの大きさ」とされており、直径は1,200キロメートルほどと推測されます。ちょっと次元が異なる、まさにアメリカンサイズ。こんなものに「核兵器でうんにゃらー」なんていうのは、アクセル

〈第1図〉根本的に無理な小惑星衝突対策

全開でぶっ込んでくるプリウスに角砂糖をぶつけてどうにかしようとしているようなものです〈第1図〉。

　逆にどのくらいの小惑星までなら核兵器で対応できるのか。おそらく直径1〜2キロメートル程度であれば、ツァーリ・ボンバ級の核兵器を地中深くまで埋め込んで起爆させることで、軌道を変えたり数個に分割させたりくらいはできるかもしれません。ただ正直、効果は微妙でしょう。抜本的な解決として「飛来する小惑星を対消滅させる！」となると直径200メートルくらいが限界です。しかし一方、直径200メートルは言わずもがな、直径1〜2キロメートルだったとしても別の問題があります。宇宙を飛来するものとしてはサイズが小さすぎて、どうやって核兵器を当てたり地中に埋め込んだりするのか……ここは謎としか言いようがありません。

　ただ、核兵器が通用するクラスの小惑星なら、仮に地球に衝突したところで人類滅亡までは至らないと思われます。とはいえ、相当な被害が出ることもまた間違いありません。2013年、ロシアのチェリャビンスク州に隕石が落下しました。この隕石の直径は数メートルから15メートルの間と推定されているのですが、南北180キロメートル東西80キロメートルという広い範囲でガラスが割れたと報告されています[5]。

5) 人的被害については千数百人規模の怪我人が出たものの、幸いにも死者はいなかった、と報じられている。

衝突だけじゃない！　宇宙からの見えない攻撃

　ここまでわかりやすい小惑星衝突について解説してきました。しかし宇宙からもたらされる人類の終焉はこれだけではありません。極めてまれな現象ですが、ガンマ線バーストを受けてしまうことが考えられます。

　われわれが地球でのほほんと暮らしていられるのは太陽のお陰であることを知らない人はあまりいないでしょう。そんな唯一無二感のある太陽ですが、広い宇宙には太陽と同じく恒星で、しかも太陽よりデカイ星はゴロンゴロン転がっています。また恒星には寿命があり、その長すぎる一生を終えるときに極超新星爆発が発生するのです[6]。そして極超新星爆発が起こると中心部がブラックホール化、あらゆるものを吸い込みます。ブラックホールの中ではあらゆる原子がすり潰され、とんでもない量の放射線が発生。これがビーム的に放出される現象こそガンマ線バーストです。

　ガンマ線バーストの破壊力はすさまじく、仮に人に直撃すればあっさり蒸発。かすっただけでもDNAが消し飛び死亡すると言われています。

　前述の通りガンマ線バーストは極めてまれな現象です。しかし地球を襲う可能性がゼロかというとそんなこともありません。今から約4億5000万年前、オルドビス紀末期に生物の大量絶滅が発生しました。この大量絶滅では、当時棲息していた生物の9割近くが死亡したと言われています。原因はいくつかの仮説が提唱されていますが、NASAとカンザス大学の共同研究ではガンマ線バーストによるものではないかとされているのです[7]。

ガンマ線バースト再び？　ベテルギウスがきてるっす

　仮にオルドビス紀末期大量絶滅がガンマ線バーストによるものだった

6）ちなみに太陽の寿命は約100億年と言われている。太陽が生まれて約46億年が経過しているので、まだ折り返し地点にも来ていない。
7）この仮説は2005年に提唱された。その後、2017年には東北大学と米アマースト大学の共同研究チームが、オルドビス紀末期の大量絶滅が大規模火山噴火によるものとする仮説を提唱している。

として、「つーか4億年以上前のこととか関係なくね？」と思われるかも
しれません。しかし実は、意外にもわれわれの世界に迫っている可能
性があるのです。オリオン座を構成する恒星であり、冬の大三角のひと
つでもあるベテルギウス〈写真3〉。この星の寿命は約1000万年と言
われているのですが、いつその寿命が尽きてもおかしくないとされてい
ます。実際のところ、地球とベテルギウスの距離は642.5光年なので、
現地ではすでになくなっているのではないかと考えられているほどで
す。つまりベテルギウスの極超新星爆発が起こっている可能性は高く、
そのガンマ線バーストが発せられている可能性もまた高いでしょう。定
説ではベテルギウスのガンマ線バーストの射程に地球は入っていないと

されているものの、どんな事態
に陥るかは実際に起こってみな
いとわかりません。

　無事にガンマ線バーストが地
球に届かなかった場合でも、ベ
テルギウスの極超新星爆発の光
が地球に至ったときには月がひ
とつ増えるレベルで夜が明るく
なるのではないかとも言われて
います。

〈写真3〉オリオンの右肩にあたる左上の星がベテルギウス

Wow！ Nuclear Warが人類を滅ぼす？　核戦争による人類滅亡

　現実問題、一番起こりそうなのが❷戦争による人類滅亡です。

　まず真っ先に思い浮かぶのが核戦争による人類滅亡でしょう。冒頭で
も取り上げた『北斗の拳』ではゴランを率いるカーネル氏によって「お
してはならないボタン… やつら[8)]はそれによって一挙に解決をはかっ

---

8) ここでいう"やつら"は、堕落した軍人としての将軍、政府高官、大企業家を指す。将軍いわく「おまえ（＝カーネル）のような人
間がなん人いようとミサイルのボタンを押すわしの指一本にはかなうまい！　ふぁっははは」とのこと。カーネルブチギレ案件で
ある。

た!!」と核ミサイルによるものと明かさ
れています〈写真**4**〉。

　しかし意外にも、核兵器では人類滅
亡に至ることはないでしょう。仮に核
兵器使用が解禁され、現在地球上に存
在するすべての核兵器が１か所に集め
られてウェーイｗｗｗとブチ上げる核
兵器フェスが開催されたとします。そ
れでも活断層のエネルギー、すなわち
地震として考えると地球にとっては平
常運転のレベルから逸脱するものでは
ありません。もちろん多くの命が奪わ
れることは確実ですが、それでも地球

〈写真**4**〉カーネルかく語りき
『北斗の拳』第２巻133ページ（原作：武論尊、
作画：原哲夫／集英社／1984年）

全部が焦土と化したり地軸がずれたり
ということも起こらないでしょう。ひとつの星である地球ほどの質量が
あれば、核兵器の破壊力は決して致命的なものではないのです。よく「核
戦争が起きれば地球が滅びる」といった言説があります。文明は滅びる
かもしれませんが、地球が終わるようなエネルギーはありません。「大げ
さ！」とJARO [9] に言うほどの文句では無いのですが（笑）。

人間の悪意が一番コワい？　生物兵器の生々しい話

　戦争からの人類滅亡を考えると、核兵器よりも恐るべきは生物兵器で
す。これはリアルに絶滅クラスの被害をもたらす危険性があるでしょう。
　しかし一方、本来的にはウィルスで人類を根絶させるのは非常に困難。
たとえば殺人ウィルスとして名高いエボラウィルスの致死率は平均すれ

9）Japan Advertising Review Organizationの略称で、正式には日本広告審査機構。響きから公共機関のように思えるが、あくま
で民間ベースの広告自主規制機関である。ちなみに本書担当編集者の高校時代の友人NはJAROに電話をして「JAROってなんじゃ
ろー？」と渾身のギャグをかましてオペレーターに華麗にスルーされた悲しき過去を持つ。しかし現在、JAROのWebサイトには
TOPに堂々と「JAROってなんじゃろ？」の表記が……。Nよ、時代が追いついたぞ！

ば50％程度、高くても80％ほど
です〈写真5〉。高い場合ですら2
割は生き残っています。この2割の
なかの多くは発症したものの耐性を
持って回復したケースですが、まれ

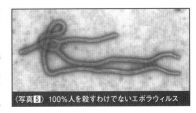

〈写真5〉100％人を殺すわけでないエボラウィルス

にそもそも効かないケースもあるのです。

　一定の個体には効かない。こういった現象はエボラウィルスに限らず、
生物界ではしばしば発生します。

　エクトロメリアウィルスというウィルスは、人間の天然痘[10]のよう
なマウス痘にネズミを罹患させ死に至らしめるものです。同時にネズミ
以外には重篤な症状が現れにくい特性も持っていたため、ネズミ駆除剤
として期待され、生物農薬が開発され、実際に使われました。この駆除
剤は一時的には効果的だったものの、エクトロメリアウィルスが効かな
い個体がいたためそうしたネズミ同士で繁殖。速やかにエクトロメリア
ウィルスが効かないネズミ集団が形成されてしまったのです。

　こうした例は枚挙に暇がありません。むしろ生き物は同種のなかに多
様な個体を存在させることで絶滅リスクを回避しているのです。"若者
の恋愛離れ（笑）"が叫ばれる昨今「なんで生き物って有性生殖なんて
めんどくさいことしてるんだろう」「分裂して増えた方が早いやん」なん
て思う向きがあるかもしれません。しかし多様性を失うと、単一ウイル
スで滅ぶのです。

　以上が基本なのですが、現在は遺伝子資源の解析が進んでいます。人
種別抹殺ウィルスなんて物騒なものの開発も可能な領域まで到達ずみ。
徹底的に人間をターゲットにすれば、潜伏期間10年、治療不可能、致
死率ほぼ100％というウィルスを人為的に生み出すことも可能でしょ
う。致死率完全100％でなくても人類は知能に全振りした社会的生き
物なので個で生き抜くことは困難。かつ新生児が生き物として自立する

10）紀元前から非常に感染力の高い死病として恐れられていた疫病。18世紀末にワクチンが開発され、一気に世界中に普及する。
　　ワクチンの改良も重ねられ、20世紀に入ると次第に根絶されていった。日本では1955年以降、天然痘患者は確認されていない。

のにメチャクチャ手間と時間がかかるため、個体数が激減してからのリカバーも難しいと言えます。これであれば人類は文字通り絶滅するでしょう。そうしたバイオテロが行われて人類が一掃された社会なんて描写は、フィクションでも使えるかもしれません[11]。

淘汰はどうだ？　人類より上位種による根絶

最後の❸生物的淘汰は、前2つに比べてフィクション要素もりもりの人類滅亡論です。

映画ならば『マトリックス』や『ターミネーター』、アニメならば『PSYCHO-PASS』、マンガならば『火の鳥　未来編』。さて共通点は？簡単ですね、いずれもコンピューターによって人類が支配されている作品です。

また宇宙人を筆頭に、地球人類より上位の人類が登場する作品も非常にたくさん存在します。多くは人類を支配し奴隷化、ときどき管理ないし娯楽のために虐殺を行うという感じです。なかには人類は上位種の食料であるなんて設定の作品もチラホラあったりします。具体例をあげると映画『ジュピター』もそうですし、タイトルがまんまなマンガ『食糧人類』なんて作品もありました〈写真❻〉。

〈写真❻〉太らされ、食われる食糧人類
『食糧人類』第1巻56-57ページ（原案：水谷健吾、原作：蔵石ユウ、マンガ：イナベカズ／講談社　2016年）

ただ、支配するのがコンピューターであろうが宇宙人であろうが、目的が労働力であろうが食料品生産であろうが、人類が管理統制されているのであれば滅亡とは言えません。SF

11）生物兵器についてはまだまだ話題がつきないため、第10講「生物化学兵器入門」にて改めて掘り下げる。

ではこの傾向が強いのですが、ファンタジーモノなどでは種族対立などの事情により「人間を根絶やしに」と怪気炎を上げるストロングスタイルな作品もあります。

AIと宇宙人以外の上位種の可能性：自分が自分に殺される？

2016年、マイクロソフトが開発した人工知能が、人種差別発言やヒトラー礼賛をしたという事件がありました〈写真7〉。これは悪意をもった人たちによるイタズラの結果であり、これを元にさらなる改良が図られていくでしょう。しかしAIが暴走し、人類を支配

〈写真7〉ホロコーストについて聞かれ「捏造だ」と返答

する未来にリアリティを感じさせる一件ではあります。

宇宙人については、広い宇宙のなかで存在しないとは言い切れず、また地球にやってきて人類を支配しようとする可能性もないとは言い切れません[12]。

もうひとつ、別の可能性についても紹介しておきましょう。すなわち平行世界からの来訪者です。

平行世界とは多元宇宙論でよく使われる言葉で、「宇宙的な超遠方に我々と同じ世界がいくつも存在する」かもしれない、「この世界自体がそもそも重なり合った存在で、波動関数の収束の場所が違うだけで重なり合った世界が同時に存在している」かもしれない、といった仮説。実証しようのない理論上の話ですが、少なくとも理論武装はされています。ある日、われわれの地球を奪いに、平行世界の地球人が襲来する日がく

12)「すでに宇宙人は来ていてホワイトハウスと密約がウンニャラー」と強硬に主張する一派もいるが、それはそれとして。

るかもしれません。

　平行世界もフィクションで
はよく取り上げられる設定で
す。人類滅亡モノを絡めたも
のとしては『ドラゴンボール』
での悟空が死亡した世界、『傾
物語』で阿良々木暦と忍野忍
が至った世界などが挙げられ
ます〈写真**8**〉。いずれも向こ
う側の世界が人類滅亡に瀕し
ているわけですが……。

〈写真**8**〉セルゲームののち元の世界に戻ったトランクス
『ドラゴンボール完全版』第28巻194ページより（鳥山明／集
英社／2004年）

　フィクションにおける生物的淘汰で多いは、敵＝物語となるケースで
す。敵の作り込み度合いが露骨に作品レベルを左右してしまうので、しっ
かりとした調査を行い、綿密でスキのない設定を作り上げなければなり
ません。繰り返しになりますが、これは科学的リアルさを求めることと
は異なります。ときに大胆なウソを織り交ぜながら、その作品に説得力
を与えるような設定を構築していきましょう。

創作してる場合じゃねぇ!? 人類滅亡は現在進行中

　さてここまで人類滅亡が発生する3パターンを、フィクションとリア
ルの両面から見てきました。最後にゴリゴリのリアルな話をしておきた
いと思います。

　万物の霊長などと称して我が物顔でやりたい放題なわれわれ人類。サ
ルから分化してヒト科が登場したのが約600万年〜700万年前と言わ
れています。一方、地球の年齢は約46億年。占める比率でいえばたっ
た0.15%しかありません。しかも人類が文明を獲得したのは諸説ある
ものの1万年ほど前です。

　そんななが———い歴史を誇る地球では、これまでに何度も大量絶滅

が発生。その都度のさばっていた生き物が姿を消してしまいました[13]。

　現在わかっている範囲で特に大規模なものが5回発生しているため、通称ビッグファイブと呼ばれたりもしています。さきほどガンマ線バーストのところで触れた、約4億5000万年前のオルドビス紀末大量絶滅はそのひとつであり、最も古いものです。2度目は約3億6000万年前のデボン紀末、3度目は約2億5000万年前のペルム紀末、4度目は約2億年前の三畳紀末、5度目は約6600万年前の白亜紀末に発生しました。白亜紀末の大量絶滅は、こちらも本講で隕石衝突の際に触れた恐竜の絶滅を指します。そして今、地球は6度目の大規模大量絶滅の真っ只中にいるとも考えられているのです。その原因はガンマ線バーストでもなければ隕石でもなく、われわれ人類の存在。現在、人類の振る舞いにより多くの動植物が絶滅の危機にあることはご存知のことでしょう。「環境省レッドリスト2019」では国内に棲息する汽水・淡水魚類のうち、実に4割が絶滅危惧種にカテゴライズされています。また2019年、総合科学誌の「ナショナルジオグラフィック」でも大々的に絶滅を特集しました〈写真9〉。

　このまま動植物の絶滅が続くと、やがて地球は人類が住める環境ではなくなってしまいます。しかし母なる星を捨てて別の星を探すほどの科学力は人類には備わっていません。結局、他の動植物と一緒に絶滅……。今、人類は絶滅エンドルートに向かって爆走中です。

　こうしたことが広く知られるようになると、「人類の驕りが招いた結果

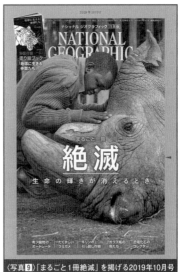

〈写真9〉「まるごと1冊絶滅」を掲げる2019年10月号

---

13) 多細胞生物が生まれる前の原生代（約5億4,100万年前〜25億年前）には細菌による「光合成」の発明で酸素が急増。温室効果ガスである二酸化炭素が急激に減ったため、全球凍結という地球全部が凍るという事態などがあったことが判明している。

だ。科学を捨て原始生活へと回帰しよう」といったことを主張する人が必ず出てきます。前段は仰るとおりかもしれませんが、後段はまったくもってトンチキな話です。科学の発展によって繁栄を築いてきた人類が今から科学を捨てることは、放火魔が放火したあとでマッチを捨てて「これ以上の火事はもう起こらない」と言っているようなもの。科学は善悪ではなくただの方法であり、技術です。今われわれが目を向けるべきは絶滅しないためにどう科学を用いるか。そこを履き違えてはいけません。

第5講
心配があるから占いをしてもらうんじゃい！
霊能者の話術

参考作品 **魍魎の匣**

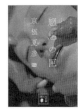

京極夏彦『妖怪』シリーズの第2弾。作中に登場する新興宗教「穢れ封じ御筥様」の教主・寺田兵衛がよく当たる占い師として登場。京極堂氏が、その仕組みを喝破する。ゴク厚な原作小説のほか、実写映画版・アニメ版・マンガ版も存在。

▶**霊能力を扱う作品群**
霊能力者小田霧響子の嘘、TRICK、うらら迷路帖

　ここはミステリアスな美人霊能者がいると噂ののタロット館。噂を頼りに藁をもつかむつもりでやってきたアナタに対し

　霊能者「貴方は、仕事に不満がありますね？」
　霊能者「ふーん。なるほど、人間関係ですか」
　霊能者「嫌な上司に困らされているのですね」
　アナタ「ど、どうしてそんなことまで……！」

　安いドラマで恐縮なのですが、本講のテーマは"霊能力とはなんぞ"というもの[1]。先に結論を言ってしまうと「霊視で人の心を読む」なんて能力は人類には備わっていません。もし、そんなことができるなら、霊能者は真っ先に世界中のスーパーセレブの心を透視し、そこから株式投

---

[1] 本講を読み進めればわかるが、ここで取り扱うのは霊視の類。さいきっくぱうわーで超能力バトルを繰り広げるような霊能力には言及していないので悪しからず。

資して億万長者になっているはずです。依頼主からセコい金額をとったりする必要なんてありませんよね。

　しかし一方、"霊能力があるとしか思えない"ことがあったりもしますよね？　ただ、こちらも先に結論を言ってしまうと、心理学の応用です。ではではその仕組みをお伝えしていきましょう。

霊視のフリするなんてマジちょれぇしwww

　錯覚を利用して心を読んだように相手に思わせる、これは能力ではなくテクニック。大きく分けてコールドリーディング、ホットリーディングの2つがあります。

　まずはコールドリーディングですが、これは投げかけた質問に対する反応や、ちょっとした仕草などを克明に観察し、鍛えた洞察力で当てに行くパターンです。人間、なくて七癖。言いにくい話をする、嘘の告白をする、言いたくてたまらないことを言う……などといった場合、手足の仕草や顔の表情はときにダイナミックに、ときには繊細に変わるものです。

　たとえば上司に話が及んだ際、鼻の横に皺が一瞬出たとしましょう。これは嫌悪の感情を抱くときに無意識に行う仕草なので、霊能力者は会話を遮るように「貴方が嫌いなのはその上司のことですね」とたたみかけます〈第1図〉。人は無意識の表情など知覚できないため、心を見透

〈第1図〉相手の反応を超観察する占い師

かされたように感じるわけです。

　また、褒めたりけなしたりして相手の感情を揺さぶり、そこから溢れ出た情報をつなぎ合わせていくという手法もあります。敏腕捜査官顔負けの技術といえます。

　先に断っておきますが、これらの技術自体は悪ではありません。

技術を霊能力と謳って、わけわからん壺を売りつけたり、お墓を新調させたりといった、商売と結びつける行為が悪なのです。っていうか詐欺といって、普通に犯罪です。

　ですが「占いです」と明示した上で適切な価格設定を行い、相談者の悩みを聞き、その悩みを超自然的な雰囲気で癒やし、その人が納得する理由付けを与え、迷いに対してアドバイスを送ることには問題はありません。これが"正しい占い師"であり、大半の占い師はこうしたアプローチを採っています。たとえば手相や人相というのも、眉間にシワがしっかり出ているなど不幸な顔つきの人は悲しみの多い人生であると「読める」わけで、反対に「笑顔のしわ」がある人は仕事は順調だが踏ん切りがつかないことがあると「読める」わけです。そしてその人に向けたアドバイスをする。これこそが本来の占いなのです[2]。

　コールドリーディングは人間行動学[3]に基づくれっきとした科学のひとつ。人間の本能的な行動、心理の作られ方の仕組みを把握し、高い洞察力で相手の心中をうかがい知るわけです。

　コールドリーディングの本質は、端的に「ものは言いよう」と表現できるでしょう。ある種、煙に巻くような話術を駆使することがコールドリーディングの基本です。相手の気持ちと感情を読んだうえで言葉を巧みに操り、相手から「信頼される」ことを最重要課題としています。

　占いの館は、ガラスとステンレスでできた無機質なAppleの新社屋みたいな近未来な建物ではなく、役所の相談窓口のように呼び出し番号を持って待つシステムを採用することもありません。照明は蝋燭などによる薄明かり、いわくありげで仰々しいアイテムの数々、ゴシックな衣装、厳かな口調、これらは雰囲気によって信頼を得るための演出なのです。「は？　アタシそんな雰囲気なんかに呑まれねーしｗｗｗ」という方もいらっしゃるでしょう。それはおっしゃる通りです。しかし、そういっ

2）しかし占い師も悲しいかな人間。「先生のおかげで……」「先生がいなければ……」と盲信され、さらに金銭や権力を得ると正しい判断ができなくなってくるケースも実際にある。最終的にテレビに出ては「しかし地獄行く」みたいに人を脅かすようになったりして、インチキ霊能者顔負けのどぎつい商売に手を染めることすらあるのだ。ズバリ言ってしまうとだが。
3）人間行動学は、心理学、社会学、人類学、精神医学なのにより人間の行動を科学的に研究する学問。

〈第2図〉雰囲気が装置になっている占い館

た方は自分から占い師のもとを訪ねたりしませんよね。前述の演出は、あくまで占ってもらいたいと思っている人に「この占い師はすごそうだ」と思わせる舞台装置なのです〈第2図〉。

　こうして事前にしっかり印象づけてから相手から情報を引き出していくわけですが、占いの場合、実は話術に関しては結構いい加減だったりします。

　たとえばいきなり「あなたの中に白っぽい車のイメージが見えます」などとかまします。まずそもそも、車にまったくかかわらず生きている人はまずいません。そして車のカラーリングは日本では白が1位で約35％です[4]。さらに"白っぽい"の"ぽい"でシルバーやグレーも包含可能。

　相談者が車を持っている人があればそれが"白っぽい"ものである可能性、またある程度の年齢であれば乗り換えてきた車のなかに"白っぽい"ものが含まれる可能性はそれなりに高くなります。

　これを受けて「はっ、そうなんです！　妻の浮気相手が白のセダンに乗っています！！！」なんて相談者が答えてくれたら儲けもの。相談内容がまるっと把握できてしまいます。

　そしてここでのポイントは、仮にピントが外れていても有耶無耶にしやすいことです。「白っぽい車？？？　まったく心当たりがありませんけど？」と言われたとしても、「……確かに見えているのですが……。貴方の日常のなかで、無意識に捉えているものをキャッチしまったのかも」とかなんとか答えておけばOK。「そういやお向かいの鈴木さんチの車が白だったっけ。確かに意識せず毎日見てるわ！」なんて感じで納得してくれます。雑談レベルの内容に過ぎませんが、占いのとっかかりとして

4）アクサルタコーティングシステムズが発表した「2017年版自動車人気色調査報告書」による。同報告書によるとシルバーとグレーもそれぞれ11％とされているので、白っぽい車はなんと6割近くになるのだ。

は機能してくれるわけです。

　事故の記憶もよくあるパターン。「水にまつわる良くない記憶がありますね」みたいな当て方も常套句としてあります。人は水なしに生きられませんから、水に関するアクシデントに遭遇しない人なんてそうそういるものではありません。水道管が破裂した、小さいときにお風呂で溺れかけた、海外で生水飲んでお腹壊した、コーヒーこぼして書類台無しにした、某ゲームショウでTシャツの女性コンパニオンに水鉄砲で攻撃するイベントを開催したら事務局に怒られた[5] etcetc…。

　正直、白っぽい車にせよ水にまつわる良くない記憶にせよ、誰にでも当てはまることを聞いているにすぎません。「やだなー先生。そんなん誰にでもあてはまることじゃないッスかｗｗｗｗ」と言わせないために前述の舞台装置が機能します。

　またこれも前述のことですが、占い師のもとを訪れるのは占ってもらいたい人です。コールドリーディングで占い師から話を振られて乗ってこない理由がありません。もちろん猜疑心が強い相手もいるでしょうが、そんなのは「邪気がひどくて何も見えない」と追っ払えばOKです。悪質な詐欺師の場合も、コールドリーディングにいちいちつっかかってくるのは端的に"騙しにくい"ということ。詐欺師はそんな相手はさっさと切ってカモになってくれる別の人を探します（笑）。

人格を相手好みに変容させて話を聞き出すテクニック

　コールドリーディングのもうひとつ重要なポイント、それがキャラ作りです。「自分とは違う存在なんだ」と相手に悟らせる必要があります。

　基本的に人間は同族に対し、多かれ少なかれ嫌悪感を持つものです。同性で同じ職業、価値判断のポイントも同じ……だけれども嫌な部分まで自分と一緒という人に物事を相談したいと思うでしょうか？　また、主婦の方が悩みがあって占い師を頼ろうと思ったら生活感丸出しの

5）2010年のTGS・アルケミストブースでのお話。詳しく知りたくば「ぎゃる☆がん　ドキドキ体験会」でググるべし。

中年女性が出てきてアレコレアドバイスをされたらどうでしょうか？ちょっと素直に受け取れないかもしれません。

　舞台装置のところでも触れた、ゴシックな衣装や仰々しいアイテムは雰囲気作りに加えて、異質なキャラ設定にも一役買っているのです。コールドリーディングにおいては、相手の望む人格をくみ取り自己投影していくことが重要。「こんな人に逢いたかったんだ！」と思わせるためにテクニックを駆使していくわけです。

　なお、コールドリーディングは占いに限ったテクニックではありません。フィクションの世界においても、たとえばミステリでは異質なキャラ設定が有効に作用します。『刑事コロンボ』などはその典型例。間抜けなうだつの上がらない中年を演じて、相手に油断をさせて墓穴を掘らせていくわけです。ただこの場合、異質なキャラは「こんな人に逢いたかったんだ！」ではなく「こんなヤツには逢いたくなかった……」となるでしょうが。また、「彼は超敏腕凄腕刑事。どんな容疑も見逃さない」みたいなのはいくら異質なキャラでもNGでしょう。こんなキャラは無関係な人からも警戒され、取りうる情報すら得られなくなってしまいます。

ホットリーディング：激アツなやらせ霊能力

　コールドリーディングが情報を引き出すテクニックなのに対し、ホットリーディングは反則的なチカラ技。

　以前、深夜番組かなにかで、ある芸人さんが凄い怖い思いをしたというエピソードを披露していました。なんでも、当時不幸続きだった彼は、テレビ番組で霊能力者に霊視をしてもらったんだそうです。で、その霊能力者氏が「トイレに扉のようなものが見える」と霊視をしてくれたので「トイレに扉なんてあったかいな？？？」などと思いつつ、帰宅後トイレを調べてみると確かに小さなパネルドアが存在。恐る恐る開けてみると……女性のものと思われる長い長い髪の毛がゾバアアアアアアアアッって出てきたんだそうです。御本人はさぞやゾッとしたであろう、

いわゆる怪談です。

　で、急に話が変わりますが、筆者もたまにテレビ番組に呼んでいただくことがあります。収録の合間にはちょっとした空き時間が発生するのですが、そんなとき筆者は演者さんよりもADさんや制作さん相手に雑談をすることが多いです。以前、ある番組に招かれた際、いつもどおりADさんとお話をしていて、なんとなく心霊番組に話題が及びました。そうしたところ「そういや自分の知り合いが心霊番組で仕込みしたことがあったらしいッス」みたいなことを言いはじめたので「詳細はよ！」と聞いてみると以下のようなことでした。

> ある芸人さんは酔いつぶれることが多く、誰かに自宅まで送ってもらうことが日常的だった。その日も酔いつぶれた御本人を送っていくようにプロデューサーから命じられたADさんの友人氏は、「ついでにこれどっか仕込んどけ」とビニール袋にこんもり入れられた長い髪を渡される。友人氏は芸人さんを自宅に送り届けると同時に、普段開けることのなさそうなトイレのパネルドアに髪の毛をねじ込み帰宅。仕込んだ場所をプロデューサーに報告する

　この話を聞いて「これ、あの怪談やんけ！」と気づいた次第。たまたま知っていた話とたまたま聞いた話が合致したおかげで怪談の裏側を知ってしまったわけですが、コンプラコンプラとうるさくなかった90年代のテレビ業界はかなりイケイケオラオラだったようです。本件以外にも、「配達員にお金を渡して玄関の様子を覚えてきてもらう」「トイレを借りるふりをして家の中をざっと見てきてもらう」など、事前の調査をもとに心霊番組を作るということがよくあったと、テレビマンの暴露本に書いてあります。

　そう、この事前の調査こそがホットリーディングです。初対面の霊能者に「貴方の家のドアが見えます……。うー、珍しい色だ。うん赤色のドアですね」なんて言われたあとで、「玄関に入ると……右手に階段がありますね。うん？　廊下に電話も見えます」とか言われたら「あたって

〈第3図〉知っているので当たるのは当たり前

る！　本物だ！！」と思っても無理はありません〈第3図〉。でもあたって当たり前。だって知ってることなんですから[6]。

　多くのスタッフが関わり、綿密なスケジュール調整の上で作られるテレビ番組であればホットリーディングは余裕で行えます。ではその辺の占い師ではどうか。たとえば完全予約制にすれば予約時にある程度の個人情報を取得可能です。仮にフリーのお客でも、受付スタッフとのやり取り、待合室での立ち居振る舞い、などからヒントを得られるでしょう。

霊能力よりこわ～いネットストーキング

　そして現代は高度なIT社会、こうしたホットリーディングにうってつけの環境が整っているといえます。そう、SNSですね。TwitterやFacebookなど、Webからオープンアクセスに近いサービスは個人情報の漏洩元になりがちです。特にFacebookは実名登録が原則な上、家族構成などをオープンにすることを推奨しています。

　年配の利用者はセキュリティ意識の低い人が多いのもあいまって、そのまま無防備に個人情報を晒しがち。そして多くの人がそれを個人情報だと認識していません。

　しかしたとえばリビングでの楽しそうな写真からは、部屋の広さや家具のレベルを確認可能。おおむねの収入が窺い知れてしまいます。友達にしか公開していないからといっても安心できません。プロがその気になれば、学生時代の友人を装うことなんて朝飯前です。

　これが占い師によるホットリーディングに利用されるのであればその

6）往年の人気ドラマ『古畑任三郎』の「殺人公開放送」にもホットリーディングがバチクソ取り入れられていた。

占い師が詐欺師兼任でない限り実害はありません。問題なのは、これが犯罪でも簡単に応用できてしまうこと。実際、SNSを悪用した犯罪というのはよく発生しています。

何の気なしに「この時期は子供と一緒に毎週〇〇公園に遊びに行くの」などと投稿すれば、大切な子供行動パターンを触れ回っているようなものです。さらに子供の写真をアップしようものなら、「ここにいけばこの子を誘拐できますよ☆」と喧伝しているとも言いかえられるでしょう。

自ら具体的な情報は書いていなくても、たとえば写り込んでいたレシートの店名から地域を絞り込んだり、外からも確認できるカーテンの柄から自宅を特定したりが可能ということは覚えておいてください。女性アイドルがこうした手法によってストーカー被害にあったケースも決して少なくありません。

写真の場合、SNSへのアップが致命的な情報漏洩につながることも。意外と知られていませんが、デジタルカメラで撮影した写真にはExifデータといってさまざまな情報が埋め込まれています。撮影したカメラの機種やISO感度などに加え、なんとGPS機能が搭載されたカメラであれば位置情報が埋め込まれていることも……。つまりExifデータを削除せず、自宅で撮った写真をアップすると全世界に向けて自分の住所を公開したことになるわけです〈写真１〉。さすがに最近の大手SNSサービスではExif情報を自動的に削除してくれる……のですが、今度はSNS運営会社が顧客の個人情報をビッグデータとして取得し、追跡広告などに利用するためキープしていることも少なくないため

〈写真１〉撮影場所をバッチリ示すExif情報

油断できません。

　急速なデジタル化の波の中で、デジタルを悪用した悪霊に出会わないよう個人情報の取り扱いにはより注意して生きる必要があります。便利さの反面の息苦しさ、これとどう向かい合うべきか、それこそ占い師にでも相談してみるべきかもしれませんネ。

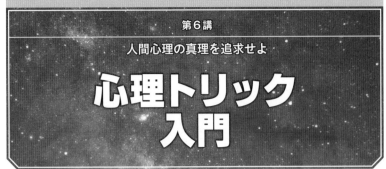

第6講
人間心理の真理を追求せよ

心理トリック入門

参考作品　**約束のネバーランド**

グレイス=フィールドという孤児院で暮らす主人公エマをはじめとする孤児たち。伸びやかに育てられるエマは、あるときその場所が孤児を食料として飼育する農場であることを知る。エマはグレイス=フィールドを脱出することを決意した。

▶心理トリックを扱う作品群
DEATH NOTE、LIAR GAME、レベルE、賭ケグルイ

　前講では、占いや霊能力にフォーカスしてその手法を学びました。オカルトに思える事象の裏側には、人間心理を操るさまざまなテクニックが潜んでいることをわかってもらえたと思います。

　人間心理。これは占いや霊能力だけのことではありません。フィクションの世界では、ミステリやサスペンスにおいて心理戦が繰り広げられます。超ありがちな例を挙げると、探偵役が目星をつけた犯人候補に、うっかりを装ったりしながら物証の存在を示唆。慌てた犯人候補がそれを処分すべくガサゴソやっていると後ろから「そこに○○はありませんよ」とドヤ顔で探偵が……なんてパターンです〈第1図〉。

〈第1図〉探偵の術中に陥った犯人の図

逆に犯人サイドのトリックとしては、みんなで暗がりを移動している
ときなどにすでに殺害済みの相手とさも会話をしているかのように振る
舞い、その時点では被害者が生きていたように一同に誤認させるなんて
のがあります。

また、恋愛ドラマにおける駆け引きだって心理戦です。そう、心理ト
リックは普通の人の日常にも大きく関与するわけで、探偵VS犯人とい
う非日常の極限状態に限ったものではありません。

そしてわれわれが住まうリアル世界にも、さまざまな心理トリックが
渦巻いています。今回は最も身近な現象たる“心理”を掘り下げていきま
しょう。

人の心は科学で読み解けるのか？　答えは「けっこうできる」

かつて人間の感情を科学で説明することなんてできっこないと考えら
れていました。しかし一方で、人間はすべてを理知的に考えて判断して
いるわけではなく、やはり動物の一種として習性があるのではないかと
も言われていたのです。今は後者が常識で、社会人類学や文化人類学に
認知心理学、行動心理学etcetc...とさまざまな学問にまで発展してい
ます[1]。

たとえば「犯人は現場に戻る！」なんて言葉をどこかで聞いたことが
ある人も多いんじゃないでしょうか？

おそらく警察捜査の膨大なケースから導き出され、共有されていった
概念でしょう。この行動、心理学的に説明可能。それが「防衛的な露出
行動」という考え方です。自分が犯罪者だとして、本来的には警察の目
も光っているであろう現場には戻りたくないと考えるのが普通でしょ
う。しかしどうしても「何か証拠を残してしまっていないか？　警察は
どんな捜査をしているのか？」など、様子を知りたいという気持ちが抑

1）日本では心理学は文系にカテゴライズされる。が、世界的に見ると学問を文系理系と2系統にばっさり分断するのは超少数派。「心理学は文系だから」と理系目線でうんぬんするのはナンセンスである。

〈第2図〉危険は承知でも現場に戻りたい心理が働く

えられなくなってしまうのです[2]〈第2図〉。

　人は思っている以上に無意識に支配されている生き物だったりします。たとえば読書でも勉強でもスポーツでもなんでもいいのですが、何かに集中している誰かに声をかけても気づいてもらえなかった……なんて経験はありませんか？　その人は特定の対象に意識を集中した結果、それ以外のことがらは無意識にシャットアウトしてしまっているわけです。「なにかに集中するぞ！」というレベルでなくても、たとえば電車でぼんやりスマホをいじっていて降りる駅を華麗にスルーしたなんてのはそれなりにあることだと思います[3]。一方、無意識だから行動に影響を及ぼさないわけではありません。むしろ無意識下だからこそ、自分でも気がつかぬうちに取ってしまう行動があるほどです。そしてテレビCMや看板、ネット広告、はたまた有名インスタグラマーによるステマなどから、インチキ教材の押し売り、啓発セミナー、怪しい新興宗教etcetcは、そうした無意識に働きかけることで自らの利益獲得を企てています。心理のスキマをついたカラクリに満ち満ちている……これが現世の真実です。というと大げさですが、そもそも商売は人間心理をついて行うもの。それ自体が悪いわけではありません。

　では、洗脳的方法とかどうでしょうか？　たとえばサブリミナル効果。人間が感知できないレベルの刺激を与えて、行動に影響を与えると言われている手法です。1990年代のテレビでは番組中に1カットだけ本編以外の画像を取り入れるという手法がしばしば用いられていました。往年の名作にして迷作である『MMR』でもサブリミナルについて触れて

2）「防衛的な露出行動」は、人から指摘されて傷つきたくないために自分から「いやー、最近ふとっちゃってさー」みたいにカミングアウトする行動なども該当。なお、犯人が現場に戻る理由には、「自分の成果をこの目でみたい！」という愉快犯の場合もある。
3）ほかにも電車の例で挙げると、他人の足を踏んづけていることに気づかない、正面の人から凝視されている視線に気づかない、などさまざまなシチュエーションがある。

〈写真**1**〉予言詩とサブリミナルの関係にきづいたキバヤシ
『MMR マガジンミステリー調査班』第3巻46ページより（石垣ゆうき／講談社／1992年）

いますね[4]〈写真**1**〉。

　ちなみに、実際のテレビ番組にサブリミナルを用いることは、1995年にNHKが国内番組基準にて禁止しました。民放でも遅れること4年、日本民間放送連盟放送基準で同様に禁止しています。日本では、明文的に禁止されているわけです。しかしながら、このサブリミナルは都市伝説レベルのお話。有効な論文はなく、効果ないやん……ということでオカルト案件です。

今日からはじめる心理トリック：信頼獲得編

　心理トリックを知っておくことは、ヘンな商法にひっかからないだけでなく、対人駆け引きにも利用可能。以下を読めば、アナタも人間心理の裏側をつかみとれるようになる……かもしれません。という先を読ませようとする心理誘導（笑）。

　と言いつつ、細かく解説するとそれだけで1冊の立派な本になってしまいます。フィクションとのかかわりが強そうなものをピックアップして解説していきましょう[5]。

　まずは人心掌握術について。極端な例ですが、「お前が犯人だろ」といきなり疑ってかかり、しかも「俺はお前を絶対に許さん！地獄に送ってやる！」という憎悪をメキメキと出している相手に、人間は心を許しません。まぁ当たり前ですね（笑）。相手から何かを得るためには、まずは話してもらえる間柄になる必要があります。これは社会的な人付き合いの基本。営業マンが仕事をもらえなくても、ちょこちょこ顧客のとこ

4）MMRの面々がなんでもかんでもノストラダムスに結びつけるのは、もしかすると後述の"一貫性の原理"によるものかもしれないんだよ！　な、なんだってー！！！
5）前講のコールドリーディング、ホットリーディングは当然ながら除外する。

ろに顔を出すのもこのためです。心臓に毛が生えているような剛の者は
別として、何度も何度も顔を出している相手をずっとそのままにしてお
くのはなかなか困難。「気の毒だな」「気まずいな」「悪いな」という感情が
芽生えてくるのが普通でしょう。

人間はいかんせん一貫性を保ちたくなる生き物

　別のパターンでは、一貫性の原理というものがあります。フリードマ
ンとフレイザーというアメリカの社会学者は、1966年にある実験をし
ました。この実験では、"自宅の庭に安全運転を呼びかける看板を立て
ることに同意してもらう"ことを目標に人々と交渉します。自分のこと
として考えてみると、やっぱりちょっと嫌じゃないですか？　しかもこ
の看板、下手くそな字で書かれているというオマケつきでした（笑）。

　で、実際はどうだったかというと、いきなり「この看板を立てさせて
ちょーだいな！」と訪問した場合の承諾率は約17%[6]。しかし、ある
ステップを踏むことで、承諾率がジャンプアップしたのです。ステッ
プ──それは看板設置の交渉の少し前に、同様の趣旨の小さなステッ
カーを自宅のドアか車に貼ってほしいと依頼し、承諾してくれた家に「今
度は看板もオネシャス」と依頼した場合でした。なんとステッカーOK
だった家のうち、76%が下手く
そ看板の設置にも承諾をしてくれ
たのです〈第3図〉。つまり、ステッ
カーにはOKしたのに同趣旨の看
板はダメとなると行動に一貫性が
ありません。人間心理は、この一
貫性のなさを嫌います[7]。

　ちなみに、この実験では看板設

〈第3図〉いちど受け入れると断りにくくなる

6）下手くそ看板だということを考えると意外に高いような気がする。ただここで重要なのは、8割以上には断られたという事実だ。
7）この背景には、①行動に一貫性がある人間のほうが社会的に評価される、②いちいち行動選択をしなくてよいので省力化につな
　がる、という2つの側面がある。

置前の依頼に4種類ありました。まず、❶安全運転を訴えるステッカーを貼ってほしい、❷安全運転の署名活動に協力してほしい、❸美化運動のステッカーを貼ってほしい、❹美化運動の署名活動に協力してほしい、というもの。前述のとおり❶に承諾してくれた家は下手くそ看板にも76％が協力してくれた一方、❶～❹全体では47.4％だったそうです。❷は"安全運転"という目的が同じでも、差し出された用紙に署名するのは看板設置とは行動の種類が違います。❸は"ステッカーを貼る"という看板設置と行動の種類が同じでも、"美化運動"という目的が違います。つまり、「一度承諾した相手の依頼を断るのは気まずい」という意識が強いわけではないのです。

　この意識、実は募金詐欺などでよく使われる手法でもあります。まず街頭に立った詐欺野郎が「動物殺処分反対への署名をお願いします！」などと声を張り上げ、署名をしてくれた人に「ご署名ありがとうございます。もしよろしければ本活動を支えるためにご寄付もお願いできませんか？」みたいに訴えかけるわけです。この時点で財布の紐はゆるゆるになってきますが、たとえば5円玉10円玉でお茶を濁される恐れもあります。なので詐欺野郎は「一口1000円から受け付けているんです」とかなんとか加えればOK。紙幣をゲットできる可能性はかなり高くなるでしょう。

　行動と目的が重要。ということで手法が見えてきました。仮にアナタが中学生で、新しいゲーム機が欲しいとします。そこで「ママン！　ゲーム機買ってーな！」と突撃するのは悪手です。「ふざくんな」で終了してしまうでしょう（笑）。

　最終目的を"ゲーム機を買ってもらう"ことに設定します。ゲームはエンタメなので、ハードルを低くした最初の目標をマンガ本あたりに定めましょう。そして「ねぇねぇ。今週さぁ、言われる前に自分からちゃんと宿題するから、○○の最新刊買って！」と交渉し、OKが出たら約束はちゃんと実行し、まずはマンガをゲット。「じゃあ次はゲーム機を……」というのはさすがに性急なので、少しずつハードルを上げたほう

がよいでしょう。「じゃあさぁ、１か月ちゃんと自分から宿題できたら〇〇を」みたいにお願いをステップアップさせて、最終的に「今度の期末テストで400点超えたらゲーム機買って！」まで導くのです！

悪徳商法が滅びないのはなぜ？：人間心理につけこむ手法

　心理トリックには、もっと直接的に相手の不安をあおる手法もあります。正直、こちらはあまりまっとうなやり口ではなく、怪しいセミナーやマルチ商法などで用いられる手口です。

　たとえば一昔前、「生活用品プレゼント！」などとして会場に高齢者の方々を集め、高額羽毛布団を売りつける、なんて悪徳商法がありました。会場には集団のサクラがおり、飛びつくように羽毛布団を購入。だんだん場の空気に流され、気がつけば自分も契約していた……てな感じです〈第４図〉。人間には、冷静に考えれば明らかにおかしいことに対しても、まわりに同調してしまうという性質が備わっています。

　さらに限定〇セットなどで焦りを与えたり、セミナービジネスで「これを使いこなせるのは、レベルの高い人だけなんです」とかプライドをくすぐられたりすると、人間は非常にあっさり崩れてしまうものです。

　悪徳商法レベルでなくても、この手のことは結構行われています。アパレルで「この新着アウター、感度高い人にすごく好評でぇ。あれ、〇〇さんっていつもオシャレさんなのにこれは未チェックだったんですかぁ？　なんかいがーい！」とかなんとか言われると、プライドが自ら罠へと足を向けることに……。

〈第４図〉場の空気に人はなかなか抗えない

　ほかにも「この商品、実は××社さんにも納品させていただいておりまして。『最近、調子が良いのはコイツのおかげだよ』なんてお

褒めの言葉をいただくほどなんです。HAHAHAHAHA!　あれ、××
社さんって御社の競合社でしたっけ、こいつぁーいけねぇや」とか、ライバル会社を引き合いに出すなんてやり口もド定番。「クソ!　あそこには負けたくねぇ!」というプライドをこちょこちょこちょこちょくすぐるわけです。

　この不安とプライドとで相手を操縦するテクニック、商品売買の場だけでなく普通の人間関係にも応用可能。ただ、身近な人に用いると、間違いなく嫌われる禁断の技です[8]。

「やらせたい」「やめさせたい」……と思ったら?　振る舞い指南

　「どうにかしてアイツに○○をさせたい」と思うことってありますよね。たとえば禁煙。タバコに億害あって一利なしなことは厳然たる事実です。で、親しい間柄の人間がタバコを吸っているので禁煙させたいというケースで考えていきましょう。まず、覚えておいてほしいのは、脅しは無意味……どころか逆効果になりかねないこと。これって結構やりがちなのですが、社会実験でも悪手であることが証明されています。

　この実験では、❶タバコの有害性を延々滔々と述べて禁煙を促す、❷有害性についてはさらっと触れ、衛生的問題に重点を置く。また全体的にあっさりめの話にするよう留意する、という2類型で説得を行いました。すると後者のほうが実際に禁煙に踏み切った人が多かったのです。

　本稿執筆時、日本男性の喫煙率は27.8%とされています[9]。これを多いと取るか少ないと取るかは置いておいて、今でもタバコを吸っている人はタバコが体に悪いことなんて百も承知なわけです。でも止めていない。そんなときに他人からタバコの有害性を言われても意味はなく、

8) 意外と悪意なく無意識にやっている人も多い。この機会に自分の振る舞いを省みるべし。いまなら間に合う……かもしれないぞ。
9) 「2018年全国たばこ喫煙者率調査」による。ちなみに1965年の同調査で男性喫煙率はなんと82.3%だった。タバコを吸わない男が2割以下って……ヤバくない?　ちなみに1980年時は70.2%、1990年時は60.5%、2000年時は53.5%、2010年時は36.6%とどんどん低下している。一方の女性喫煙率は1965年に15.7%で2010年代まで10%超で推移。2015年に9.6%となり、2018年時点では8.7%となっている。また、世界に目を向けてみると、2015年のOECDの調査では日常的にタバコを吸う男性は、アメリカ12.2%、中国47.6%、韓国31.4%だった。いまだ男性喫煙率がパないのがインドネシアで71.8%。インドネシアは人口2億3,000万人で世界第4位の国家である。嫌煙家はインドネシア旅行は避けたほうがよいだろう。

言われれば言われるほど「うるせーばか」となってしまいます〈第5図〉。

　脅しが通用するのは、「ヤベェ」と心底焦っている相手に、ピンポイントで行ったときくらい。大統領だろうが少女だろうが脅しをベースにする説得は悪手なのです[10] [11]。

〈第5図〉どんだけ相手を思っても言えば言うほど逆効果

「これ以上かかわりたくねぇ」と思わせたら勝ち……勝ち?

　相手から利益を引き出すテクニックとして、了承を曖昧にするという手もあります。

　さきほど"一貫性の原理"のところで、募金詐欺について解説しました。これをもう少し悪意よりに運用する手段を紹介しましょう。まず街頭募金を装う際には、向こうから近づいてくるのを待つのではなく、こちらからターゲットを定めてガンガンアプローチ。また、戸別訪問で募金を募るという手法もあります。とにかく相手を捕まえたら「この募金は恵まれない子どもたち向けた、社会的にも大変意義のあるものなんです。で、ウンニャラカンニャラで、ホンニャラコンニャラというものでもあります。一口500円なのでご協力ください!」と相手が嫌になるまで拘束。あー、もう500円で解放されるなら……ということで「わかりましたわかりました。募金しますよ」と言った瞬間に「ありがとうございます!　では4口から受け付けております!!」と畳み掛けるわけです。

10）スウェーデン産のゆたぽんことグレタ・トゥーンベリ。彼女の言うことや信念は正しいのだが、子どもでもあるので一挙手一投足が整合性がなくオモチャにされている。それを担いでいる周りの大人がキモすぎるアレ。

11）別の例を挙げると、母親から「こんなに散らかして!　ちゃんと部屋片付けなきゃダメでしょ!!」とかガミガミガミガミ言われていたときは「あー、うるさい!」とまったく聞かなかったのに、ある日「……部屋、片付けなさいよ」と冷たい目で言われて立ち去られると「あ、なんかヤバいかも」と掃除を始めるなんてケースもあるだろう。ただこの場合は、いつもはガミガミ言う母親が今日に限ってという、セットでの効果と考えられる。

当然相手は「は？　4口から？？？」と思いますが、一度OKを出した
ことに加え、改めて拒否したときの労力を考えるともう嫌になり、渋々
2,000円を支払うことになります[12]。

　このやり方はいろいろな局面に応用可能です。ただ一度限りの相手な
らともかく、身近な相手に対しては避けておいたほうが賢明でしょう。
基本的に人間関係はズタボロに破壊されてしまいますからね（笑）。

こちらが望む結果……それこそ真実！　であってほしいw

　行動を操るのと同じくらい需要が高いのが、「相手の本音を知りたい」
「真実を語ってほしい」という願望です。これもある程度はテクニック
が確立しています。お手軽なものをいくつか紹介していきましょう。

　まず、あえて間違った情報を与えて心理的揺さぶりをかけるというや
り方。またフィクションを例に取って説明すると、たとえば刑事ドラマ
で犯人と目する相手と対峙した際、本当の犯行時間は18時だったのに
「捜査の結果、どうやら犯行は19時以降になされたようです。これは形
式的な確認なのですが、当日19時、あなたはどこにいましたか？」な
どと伝えます。すると犯人氏は安心感も手伝い、余計なことまでペラペ
ラとおしゃべり。ちょっとした矛盾を突かれ、それを誤魔化そうとして
微妙なウソをつき……としているうちに気がつくと言い逃れができない
状況になっていた。これはリアルでも有効な手段です[13]。

　さらにウソや言い逃れを切り崩すのに最強と言っても過言ではないや
り方があります。それはふたりがかりで役割分担し、ひとりは鬼理不尽

12）もしアナタがこうした募金詐欺に遭遇したときの対処法について。まず街頭募金型のときは相手せずにズンズン進むべし。「こりゃ目が無いな」と詐欺野郎が思えば、さっさと次のターゲットに向かうだろう。多少は追いかけてくるかもしれないがちょっとでも相手をすると可能性があるかもと思われる恐れがあるので、基本は無視。戸別訪問型はややハードルが上がるが、明確に「出ていってくれ」と要求し、同時に「出ていかないと不退去罪になるよ？」と通告すべし。不退去罪は3年以下の懲役か10万円以下の罰金が科せられる立派な犯罪（刑法130条後段）。それでも帰らなければ機械的に警察に通報しよう。ちなみに刑事訴訟法213条で「現行犯人は、何人でも、逮捕状なくしてこれを逮捕することができる」とあるため、法律的には現行犯であれば一般ピーポーでも犯人を逮捕する権限がある（いわゆる私人逮捕）。が、不退去罪程度で行うのはリスキー。公の下僕たる警察に働いてもらおう。

13）言い逃れできなくするパターンでもうひとつ有効なのは時系列をさかのぼっていくやり方。ウソをつく場合、時間の流れどおりであればそれっぽいエピソードをつなげてごまかしていくことは可能。しかし実際なかったウソをさかのぼっていく流れでつじつまを合わせるのは非常に難しい。「えー、そうなんだー。じゃあその前ってなにしてたの？」といった感じで話を聞いていると素人では話が破綻する。

なヒールを担当、もうひとりが話が通じるベビーフェイスを担当。これまた刑事ドラマでたとえると、ヒール刑事は「ゴルァ!　ウソぶっこいてんじゃねーぞぉ?　オメーが殺人犯なのは俺にはわかるんだよぉ!　オメーの顔は人を殺す顔だ。間違いない。ああん?」とか激昂しながら机を蹴り飛ばしたり髪をつかんだりします。しばらく理不尽タイムを展開した後、「ケッ、しぶてぇ野郎だ。ちっと便所でもいってくらぁ」と退場＆ベビーフェイスとバトンタッチ。で、ベビーフェイス刑事の方は「やれやれ、ヒール刑事も困ったもんだ……。あんな高圧的態度じゃキミも話すことが話せないよな」みたいに寄り添う姿勢を提示。容疑者はストレスから解放されると同時に、いつヒール刑事が戻ってくるかという恐怖心に苛まれます。その上で、「で、本当のところはどうなんだい?　キミがやったのかい?」のような流れで自供を引き出すわけです〈第6図〉。この手法はメチャクチャ有効。有効すぎて本当にやってもいない自供まで引き出せてしまい、冤罪に陥れる副産物もたくさん生まれました。

　これはビジネスの現場でもよく用いられている手法です。下請け会社が大手企業に呼び出され、まずリーマンAからアリエナイ値引きを求められます。その後、上司のリーマンBが「○○さんにだって生活があるんだからそんな無理言うもんじゃないよ。そうだな、じゃあこの金額までこちらも譲歩するからこれで請けてもらえないだろうか?」といった感じで交渉。胸をなでおろして契約をしたものの、冷静になって考えてみると全然条件が悪いことに気がつく……。実は大手企業側は譲歩後の金額を目標にしていて、リーマンAの要求が受け入れられるなんて最初から考えていないというパターンです。

　ちなみにこの手法、「グッドコップ・バッドコップ戦術」というそのままな名称がつけられています。コップは警官の意味です。

〈第6図〉システマティックな自供引き出し術

求める解答を相手が選ぶように仕向けるには？

　自分が選んだのに実は選ばされていた……そんなケースもあります。代表例はマジシャンズセレクトというマジックのタネです。論より証拠、次の言葉からひとつ選んでください。

> 高層ビル　夜　金　炭　種　ハンコ　契約書

次に、アナタが単語と関係のあるものをひとつ選んでください。

> 夜景　光　イチゴ　朱肉　ラッコ　蕎麦

では選んだ言葉の特徴を選んでください

> 安い　美しい　みすぼらしい　赤い　暗い　恥ずかしい

最後に選んだ言葉とつながりがある言葉をひとつ選んでください。

> ナス　ルビー　鼻毛　爆竹　ブラックホール

　貴方が選んだ言葉は「ルビー」ですね？　さっそく種明かしをしてしまうと、実はこれは答えがルビーになるように要素を分解し誘導していました〈第7図〉。

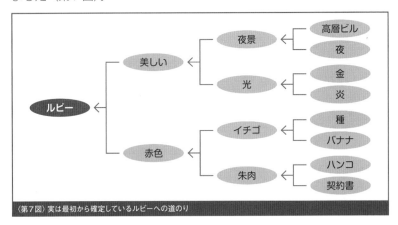

〈第7図〉実は最初から確定しているルビーへの道のり

　結局、最初にどれを選んでもルビーに行くようになっているわけです。と同時に、それぞれの質問階層にラッコ、恥ずかしいなどのノイズを紛れさせ、"自分で選んだ"と錯覚させます。ここでの例はあえてあからさまにしているので、説明を受けても「ふーん」という感想しか出ないかもしれません。しかし研鑽を積んだプロマジシャンにマジシャンズセレクトをかけられたら、大抵の人は心底びっくりすることでしょう。

　ここまでくるともはや何を信じていいのかわからないレベルの駆け引きですが、わりと当たり前に行われているのが世の現実です。たとえばSNSのターゲッティング広告というものは、その人のサービス利用履歴から趣味趣向を分析し、それに合わせた広告を投入[14]。さらには、その人の感情を揺さぶりそうなニュースを流し、アクセス率を上げようとしています。

　と、まぁ以上のように心理トリックの魔手から逃れることは普通の社会生活を送っていると難しいと言わざるを得ません。とはいえ心理トリックの知識があるとないとでは大違い。ここで得た知識[15]がアナタを守ってくれる日が来るかもしれません。また同時に、人の気持ちは技術によって簡単に変わってしまうという事実は胸に刻みつけておいてください。

14）ただしネット広告にはさまざまな種類があるため、利用履歴と表示広告に必ずしも強い関係性があるというわけでもない。つまりエロ広告ばかり表示されるからといって、エロサイトを見まくっているとは言えないわけだ。もちろんエロサイトを見まくった結果としてエロ広告が表示されるケースもあるぞ！

15）心理学には、なんか曰くありげでカッコヨサゲな横文字用語がいろいろ存在する。プラシーボ効果なんかは多くの人が知っているだろう。そこでその他の用語を響きの良さげなものを次のページでリスト化した。明日からドヤ顔で相手の心理を操るべし!!

なんとなくカッコよさげな心理用語リスト

アンダーマイニング効果	もともと自発的にやっていたことに対し、報酬などの外的動機づけが行われると、自発性が失われること。たとえば、宿題をやったご褒美にお小遣いを与えると、やがてお小遣いなしには宿題をやらなくなる。
アンダードッグ効果	選挙の事前調査で、不利だとされた候補に同情票が集まり、最終的に逆転勝利を飾ること。日本にも判官びいきという言葉がある。
アンカリング効果	広告などで本当によく使われる手法。「定価5万円のところ、本日に限り29,800円でのご奉仕！」などと言われると、もとの5万円に意識が行き、非常に得した気分になる。が、29,800円は財布から失われているわけである。この効果を得るため、もともと1,000円で売るつもりの商品に、4,000円などの値札をつけるケースも……。
ウィンザー効果	直接相手から得る情報より、第三者を介した情報の方を信じてしまう現象。だからステマはなくならない。
ヴェブレン効果	価格が高いことに価値を見出し、需要が発生する。いわゆるブランド品で、素材はプラスチックだったりと超フツーのものを使っていながら鬼のような値段がついていることがあるが、「それでいいのだ！」なのだ。
カリギュラ効果	禁止されると余計にやりたくなる現象。ホラー映画で、「心臓の弱い人は決して見ないでください」とかやられてるとむしろ興味がわいてしまうということ。「押すなよ！　絶対に押すなよ！」は固定メンバーによる一連の流れがパッケージ化されているので、これには当たらない。
クレショフ効果	同じ俳優の無表情の写真のあとに、①スープ、②棺桶、③女性、写真を見せる。そのあとで「俳優はどんな状態ですか？」と問うと、①の場合は「腹減ってんじゃね？」、②の場合は「悲しんでると思うっす」、③の場合は「性欲を持て余してるんではあるまいか」という答えが返ってくる。人間の脳は、前後に因果関係を求めてしまうために起こる。
ゴーレム効果	「あいつは駄目なやつだ」というふうに思って接していると、本当にだめになってしまう現象。
ザイオンス効果	接する回数が増えれば増えるほど、だんだん好きになる効果。営業マンが顧客のところにとりあえず顔を出したりすると効果が得られる。
シャルパンティエ効果	同じ重さで、サイズが違う2つがあると、小さい方が重いように感じてしまう錯覚。
ストループ効果	赤い文字で「赤」と書いてある場合と青い文字で「赤」と書いてある場合、文字を読ませると後者の方が時間がかかる。文字の意味と、実際の色というふたつの情報が干渉しあってしまう。
スリーパー効果	うさん臭いネタ元からの情報でも、時間が経つとうさん臭さを忘れてしまい、情報の内容だけが記憶に残る効果。ゴシップ誌に「○○はシャブ中だ（関係者）」などとあると、最初は「関係者って誰やねんｗｗｗ」などと思うが、1ヶ月もすれば「○○ってシャブ中らしいよ？」とかなっちゃう。
ダブルバインド	矛盾する2つの命令を下され、ストレスを感じる状態。「いちいち指示を仰ぐな！」「自分の裁量でやれ！」などと言いながら、いざ自主的に行動すると「勝手なことすんなヴォケ！」などという上役はよくいる。ヤツらはダブルバインダーだ！！！
ツァイガルニク効果	達成できたことよりも達成できなかったことの方を人はよく覚えていること。脳の仕組み的に失恋や受験不合格などのことを忘れられないようになっている。続き物が中断されるとその先が気になるようなケースにもあてはまり、テレビ番組でCMに入る前に「このあと驚きの展開が！」などと引っ張る手法に使われている。
ディドロ効果	気に入ったものをひとつ手に入れると、それに合った別のものも欲しくなってしまう現象。家具のショールームなどはこれに基づいて運営されている。
ピグマリオン効果	「こいつは成績が伸びそうだ」と教師が思った生徒は、実際に成績アップするという現象。「褒めて伸ばすとアナタのお子さんの成績アップ！」みたいな話の根拠とされるが、ピグマリオン効果は無意識下の働きかけが作用するとされるので、"褒める"という意識的な行動とは食い合わせが悪いとされる。
バンドワゴン効果	大勢の人が支持していると、その支持はより強く広く大きくなっていくこと。いわゆるトレンド、ブームなどはこの効果によって醸成されていく。ナンチャラミルクティーとかね。
フレーミング効果	同じことを言っていても、言い方によって受け手の行動が変わってしまうこと。病人に対し、「この薬を飲んでも10人中7人は死にます」「この薬を飲めば10人中3人が助かります」というと後者の方が服用率が段違いに上がるという感じ。
マッチングリスク意識	新しい何かを買うときに「自分に合わなかったらどうしよう……」と思ってしまうこと。特に実際にモノに触れられない通販で起こりがちで、それに対応するために「30日間返品OK！」「美味しくなかったら全額返金！」などといった対処がされる。

参考作品　　**金田一少年の事件簿**

金田一耕助の孫・金田一一が高校生探偵として謎を解決する。"放課後の魔術師""赤髭のサンタクロース""地獄の子守唄"など、毎度いわくありげな犯人が暗躍。金田一少年の行く先は常に死屍累々だ。

▶**完全犯罪を扱う作品群**
名探偵コナン、氷菓、掟上今日子の備忘録、ダンガンロンパ

　今回は完全犯罪について考えていきます！　現実世界ではまずお目にかかることはありませんが、フィクションではド定番で伝統芸能とも言える密室トリックも、完全犯罪を目指すいち類型です。とはいえ、フィクションで扱われる以上、基本的にその完全犯罪はどこかで露見することが前提になっています。

　フィクションにおける完全犯罪とは何か？　改めて科学的に見ていくわけですが……べ、別にリアル指向な茶々を入れたいわけじゃないだからねっ！（唐突なツンデレ）

まずは定番トリックを見直してみる

　完全犯罪を大雑把に分類すると「不可能犯」と「密室犯」の2つです。「不可能犯」は、明らかに疑わしい容疑者がいるものの、アリバイが

〈写真**1**〉高らかに密室宣言をする金田一少年。『文庫版 金田一少年の事件簿』第24巻156ページより（原作：天樹征丸、漫画：さとうふみや／講談社／2005年）

〈写真**2**〉密室の謎が気になる千反田える「氷菓」第1話より

©米澤穂信・角川書店／神山高校古典部OB会

しっかりしていたり、実行方法がわからなかったりで、"容疑者には犯行が不可能である"というパターン。一方の「密室犯」はどうやってその密室を作ったのかがわからない上、"いったい誰であれば行えたかが謎"という2段構えのパターンです[1]。ミステリにおける花形というべき謎解きで、冒頭の参考作品として挙げた『金田一少年の事件簿』でも第1期26事件のうち実に15事件で密室が登場〈写真**1**〉。『氷菓』の冒頭でも密室が取り上げられていました〈写真**2**〉。

　ミステリというジャンルは、基本的にわれわれが生きる現実と地続きの世界で描かれるフィクション。たとえば「犯人はすごく足が速く、自宅まで時速200kmで走れたからアリバイ不成立！」とか「犯人は超能力者だから壁抜けして密室を完成させたのだ！」とかはプレ講義で触れたようにご法度[2]です。

　また、密室のオチが事故や自殺でしたというものもありますが、基本的には禁じ手でしょう。というかこれで読者を納得させるには、作り手に相当な力量が必要になると言ったほうがいいかもしれません。

　ミステリは、ミスリードで読者をいかにダイナミックに化かすかがポイントです。……ですがそちらの領域は筆者の専門外。あくまでミステ

1）正確には密室犯も不可能犯に包含されるが、前述のとおりミステリのなかでいち類型化している。本講ではあえて別モノとして扱う。

2）しかしルールがあればそれを破る者が現れるのも運命。たとえば量子力学の世界では、基本的には起こらないが理論上は"物がすり抜ける現象"が起こりうる。これをトンネル効果という。某ミステリ作品では「理論上起こりうるトンネル効果が宇宙開闢してから初めて発生したため密室になった」というトンデモナイ技を披露した。この作品……というかこの作者はそれ以外にもいろいろ凄い。「自分は小説家ではなく大説家だ」などと仰っている。興味のある人は「大説家」で検索してみよう。

リを描く上で注意すべき"科学"に限定して話を進めます。

不可能犯と監視カメラ：警察はやっぱりすごいのだ！

〈第1図〉今や陳腐な指紋ふき証拠隠滅

　ぶっちゃけた話、現代科学の前において不可能犯のハードルはめちゃくちゃ高いと言わざるを得ません。科学捜査の技術は年々進歩しており、微少証拠を積み重ね、確実に容疑者を追いかけます。警察権力に「容疑者」と認定されることは、犯人からすれば8割方捕まったようなもの。

　犯人が犯行後、警察による指紋採取を防ぐべくタオルで部屋中を拭きまくる……なんて描写は今でも結構見かけますよね？　でも残念ながら無意味です。今や拭き取った指紋を復元する技術が確立されていますし、人間の皮膚からも指紋採取できてしまいます〈第1図〉。

　また、犯行時の衣類から落ちた繊維片、自宅で飼っているペットの毛や育てている花の花粉などなど、普通の人間では現場に残していることに気が付きようがない超微小遺留物をガンガン落としまくり。証拠を消そうと無意味な指紋拭き取りをしているうちに、むしろガンガンガンガン物的証拠を積み上げていることになってしまいます。

　現実とはときに非情なもので、ズボンの隙間からはらりと落ちた陰毛のDNA鑑定でお縄に……なんて非常にシマラない結末を迎えたケースも。シリアスなミステリという観点からすると映えませんよね。

　また現代日本にはひとつの特徴があります。それはものすごい監視社会だということです。まず、街中に防犯カメラが設置されています〈写真❸〉。警

〈写真❸〉都内公園に設置されている防犯カメラ

察が繁華街などに防犯目的で設置しているもの、市区町村が自治体施設や通学路などに設置しているもの、といった公的なものだけではありません。さまざまな商業施設やコンビニなどに設置される企業ベースのもの、一般家庭に設置されるものなど、民間ベースのものも多く存在します。これらは防犯カメラであると同時に、監視カメラでもあるのです。

　公的な防犯カメラは超高性能で、年中無休で高解像度映像を録画しつづけるハードワーカー。一方、市街地では防犯カメラの絶対量は少ないものの、集合住宅には結構設置されていますし、個人宅でもスマホにも対応したコストパフォーマンスの良い製品も登場してきたことから設置する家庭が増えています。日本国内に設置されている防犯カメラは500万台に至るという推計もあるほどです。2018年、渋谷のハロウィンシーズンに調子に乗った群衆に軽トラが横転させられるという事件がありました。当時の渋谷は4万人ほどの人出だったものの、事件の様子を撮影したスマホ動画から中心人物を割り出した警察は、周辺の防犯カメラ映像を徹底的に解析[3]。4人を逮捕、10人を書類送検したのです。逮捕者のうちのひとりは渋谷から遠く離れた山梨県で逮捕されています。わざわざ山梨から来て渋谷で暴れていたのかよ……。

　さらに近年、ドライブレコーダーがかなり普及しているのはご承知の通り。ドラレコもある意味では民間ベースの監視カメラとして機能すると言えるでしょう。

　また車関係で言うと、わが国には日本警察が誇るNシステムがあります。これは道路上にカメラを設置し、通過した車のナンバーと運転者の顔を片っぱしからすべて撮影するという一大システム〈写真**4**〉。警察が「コイツあや

〈写真**4**〉結構普通に設置されているNシステム

3）これを担当したのが捜査支援分析センターという、電子機器解析などを専門にする部隊。捜査Sousa支援Shien分析Bunsekiセンター Centerということで SSBC と略称される。センターだけ英語スペルなのがご愛嬌。

しくね？」と判断すれば対象車がどういったルートをたどったかをつぶさに把握できてしまいます。

前述の通り、通った車をすべて撮影しているため極端な話をすれば監視カメラがない地域で起こった犯罪捜査で、犯行時刻に一定エリアを通過した車を特定し、ドラレコを搭載していないかを確認の上でデータの提供協力を求める、などという運用も可能です。

こうなってくるとリアルな世界に警察の手から逃れるのは非情に難しいと言わざるを得ません。

電脳世界に活路を！……ってのも無理めというお話

「じゃあもう、実犯行は諦めて匿名性の高いネットで……」という方向に舵を切りたくなる犯罪者予備軍の皆さん、それも止めておいたほうがいいでしょう。というのも、ネットの匿名性が高いのは事実ですが、匿名ではないからです。現在のネットは、"割り出しが煩雑"なシステムなだけであり、追いかけることが不可能なわけではありません。少なくとも家のネットワークや手前のスマホから匿名で犯罪行為はできないと言い切って問題ないでしょう。

匿名性の高いネットとして"ダークウェブ"を思い浮かべる人もいるかもしれません。これは、アメリカの海軍調査研究所の出資によって開発されたオニオンルーティングという暗号化通信技術を利用したもので、Torが有名です〈写真5〉。ただこのダークウェブもあくまで匿名に近いネットであり、"割り出しが

〈写真5〉 The Onion Routeの略称としてのTor

極めて煩雑"ということで、やはり決して追えないわけではありません。

となると次に考えるのはフリー Wi-Fiを利用したり、家庭用Wi-Fiに潜り込んだりしての匿名犯罪です。ただ結論から言うと、これも難しいでしょう。なぜならフリー Wi-Fiにアクセスした場合でも、PC固有のアドレスや、そこからのアクセス履歴は指紋のように残り、細かくユーザーを特定していきます。またフリー Wi-FiにアクセスするにはどこぞのWi-Fiスポットに行かねばならず、これは前述の監視カメラ網の中に出るということ。結局のところ、普通の犯罪であろうとネット犯罪であろうと時間をかけた人海戦術で徹底的に証拠を挙げていくという現代の警察捜査手法の前には個人は極めて無力です。

完全犯罪のために準備段階から警察から逃げるべし！

「いや、でも実際に未解決事件なんて山ほどあるじゃん」と思う人もいるでしょう。犯人がつかまらない場合、それは警察の初動捜査で致命的なミスがあった場合、監視カメラに偶然ひっかからなかった場合といった運否天賦の世界になってしまいます。

そもそもミステリ作品は、謎解きを読者と共有して"気づき"を与え、最終的に「そうだったのか！」とカタルシスを提供するものです。一方、現代科学捜査は高い専門的知見に基づくもの。それを欺こうとさらに高い専門的知見をトリックに取り入れると、一般読者は完全に置いてけぼりに……。トリックが複雑化すればするほど面白さは薄れてしまいます。

ただ現代劇にすれば科学捜査を存在しないことにはできず、"どうすれば科学捜査がタッチできないシチュエーションを構築できるか"という設定が重要になってくるわけです。嵐の山荘や絶海の孤島に代表される、いわゆるクローズド・サークルですね[4]。『金田一少年の事件簿』で

---

[4] 最近では『屍人荘の殺人』でトリッキーなクローズドサークルを構築していた。タイトルで半分以上ネタバレしている気がするが、どんなクローズドサークルかは伏せる。同作は2018年に「このミステリーがすごい！ 国内編」「週刊文春ミステリーベスト1 国内部門0」「本格ミステリ・ベスト10 国内篇」にて三冠を達成。さらに第18回本格ミステリ大賞も受賞した。ちなみに著者・今村昌弘氏のデビュー作でもある。

も、橋が落とされたりトンネルが塞がれたり嵐が襲来したり大雪が降ったり無線機がブッ壊されたり、といろいろなアクシデントでクローズド・サークルが作られました〈写真6〉。ここまで来てようやく不可能犯や密室に挑戦可能になります。逆に言うとここまでしなければならないのです。

〈写真6〉橋が落とされキャンプ場に閉じ込められた金田一御一行
「文庫版 金田一少年の事件簿」第6巻44ページより（原作：天樹征丸 金成陽三郎、漫画：さとうふみや／講談社／2004年）

クローズド・ルーム構築の苦労度はハンパない!

密室殺人はフィクションではお馴染みながら、現実においては試みられるものではありません。なぜなら、労力に見合うメリットがないからです。密室殺人は、まず殺人を行ったのち、続いて創意工夫を凝らしたトリックで密室を作るという二段構えの犯罪。さらに可能であればアリバイも明確にしておくべきでしょう。もちろん前段として科学捜査の手が及ばないよう、クローズド・サークルも作らねばなりません。つまり、めちゃくちゃ手間ひまがかかります。

また、いくら密室が完璧でも、なかにあからさまな他殺体が転がっていれば、仮にクローズド・サークルであっても、犯人以外の人たちに「ヤベェ、こんなかに殺人鬼が混じってる！」と思わせるわけです[5]。そんな密室構築にカロリーを使うより、事故や自殺に見せかける偽装トリックを考えたほうが賢明でしょう[6]。ただ、偽装トリックが巧みだとお話は始まりません。つまり密室殺人は、あくまで創作の世界における様式美ということになります。

---

5) これが「まさかアイツが復讐のために……」と第一被害者以外のターゲットを怯えさせる装置としても作用しているので、必ずしも悪いわけではない。
6) 幕引きにも制限が加わる。クローズド・サークルでひとりずつ殺人していく枠組みだと、❶皆殺しパターン、❷本懐を遂げたのち逮捕覚悟or自殺決意パターン、❸最後に殺した相手に罪をなすりつけるパターンのいずれかを選択することに。

どんなものがあるの？　密室を知悉すべし

では様式美としての密室を考えていきましょう。なお、本書の特性上あくまで物理トリックに限定し、叙述トリック[7] は除外します。

世界初の推理小説と言われる「モルグ街の殺人」でも密室は扱われていました。同作が発表されたのが1841年ですから、密室トリックには約180年の歴史があります。この間、あまたの密室が生み出されてきたわけで、すでに文法化されていると言っても過言ではありません。ざっくり分類すると以下のような感じです。

・殺害後、外側から施錠する

・合鍵があった

・抜け道があった

・犯人が中にいた

・遺体を外から運び込んだ

・部屋の外から殺害

ただ密室という状況を面白くする以上、手法はある程度限定されてしまいます。不可解な密室殺人事件の解決編で、探偵が「謎はすべて解けました。実は合鍵があったのです！」なんて言おうものなら台無しですよね？　知られざる抜け道というのもやや反則です。

ということで外から密室を作る、部屋の外から殺害、のパターン分けが王道となります。そしてエンターテインメント性や独自性を立たせるために、特殊な装置や技術を使った奇抜なトリックがたくさん生み出されてきました。

「部屋の外から殺害」を例に挙げると、古典的作品で使われた「毒蛇に襲わせる」から、「特定の周波数になったら割れる毒ガス入りアンプル」や「部屋ごとまるっと完全密閉して窒息死させる」なんてものまで実に

---

7) 文章技術により、読者をミスリードするやり方。密室ではないが、ごく簡単に説明すると、一人称が"僕"のマコトというキャラクターがいたとする。マコトは男の子だと思って読み進めると、謎解きでマコトの漢字は真琴で、実はボク"娘"だった……みたいな。ミステリは読者にウソはつかないので、そうと知って読み返すと、マコトが女の子であることを示唆する描写がチラホラある。

さまざまです。ここが独創性の見せどころ、ひいては作者の腕の見せどころと言えるでしょう。

　ただ、独創性に全振りしてしまうと読者の納得感は得られません。たとえば服用後一定時間経過すると自殺したくなる薬や、銃創が刺し傷にしか見えない特殊弾、自律制御で相手を吊るす首つりロープなんてものを登場させると、それはもはやミステリではなくなってしまいます。

毒と毒のかけあわせでアリバイ作り!? : リアルミステリ❶

　さきほどから完全犯罪への挑戦について、"あくまでフィクションの世界のもの"という論旨で解説をしてきました。しかし現実社会においても、まれにミステリ顔負けのトリックを用いる事件が発生することもあります。2つほど日本で起きた事件をご紹介しましょう。

　1件目は「トリカブト保険金殺人事件」です。この事件、1986年に起きたもので、ある女性が新婚旅行で訪れた沖縄で急死したことに端を発します。司法解剖の結果、女性の死因は急性心筋梗塞と診断されました。その後、その女性に対して夫が多額の保険金をかけていたこと、さらには前妻、前前妻も急死を遂げていることが判明。しかも夫は猛毒のトリカブトとフグを大量に購入していたのです〈写真❼〉。

　捜査の結果、妻の体内からはトリカブトの毒、アコチニンが検出されました〈第2図〉。メチャクチャ怪しいこの夫、しかし彼は無罪を主張します。その根拠がアリバイです。アコチニンの毒性は非常に強く、摂

〈写真❼〉猛毒ながら花は美しいトリカブト　　〈第2図〉アコニチンの構造式

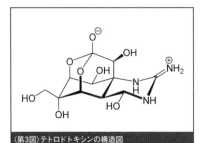

〈第3図〉テトロドトキシンの構造図

取後30分以内に症状が出るのですが、女性と夫が最後に接触したのは症状が出た数時間前でした。このアリバイは強力で、警察も頭を悩ませます。この謎を解くきっかけになったのがトリカブトと同時に購入していたフグでした。再度の検査により、妻の体内からはフグの毒、テトロドトキシンも検出されます〈第3図〉。

　なんと驚くべきことにアコチニンとテトロドトキシンを一定の割合で同時摂取すると、お互いの毒性を相殺することが専門家によって明かされたのです。そしてテトロドトキシンのほうが早く毒性が失われることから、相殺状態のバランスが崩れ、アコチニンの毒性によって妻が死に至ったというのがこの事件の顛末でした。本当にミステリそのものですよね。驚くべきはこの夫、毒の専門家でもなんでもない経理会社の経営者。それが独学でトリカブトの毒の遅効システムを発見したことには驚きを禁じえません。

トリックは自供するまで謎だった!?：リアルミステリ❷

　2件目は1973年に山形県で発生した「椎茸農園一酸化炭素中毒保険金殺人事件」です。こちらもなかなかで、椎茸農園を営んでいた男が、ビニールハウスで妻が倒れていると通報。その後、死亡が確認されます。で、例によってと言うべきか、この妻には多額の保険金がかけられており、しかも契約時には妻ではない身代わりの女性を連れていたのです。

　ほかにも男性の行動は超怪しいものばかり。妻の死因は一酸化炭素中毒で、ビニールハウスを保温するために使われていた練炭によるものとされますが、そもそも椎茸の栽培にビニールハウスは必要ありません。さらに、そのビニールハウスは事件後取り壊されてしまいました。また、

男性が妻の死後すぐに再婚したり、株投資の失敗で借金があったり、と疑うなというのが無理なレベルです。

　当然、警察による捜査が行われるわけですが、ここで問題がひとつ発生します。男性は保険金詐欺については認めたものの、殺害容疑については決して認めませんでした。

　そこで警察はビニールハウスを作り、同様の環境を構築。実験を行うのですが……意外な事実が判明。なんとビニールハウス×練炭というコンボでは人を殺害することは現実的に無理だったのです。ではどうしたのか？　その真相は男性が高濃度一酸化炭素ガスを化学合成し、防毒マスクに仕込み、妻に着用させて殺害したというものでした。「防毒マスクにガスを仕込む？」ちょっとわかりにくいですよね。つまりこういうことです。男性は寝ている妻を起こすと「なんかビニールハウスの様子がおかしいから一緒に来てくれ」と誘い出します。で、ビニールハウスに入るときに「中で練炭焚いてるから防毒マスクをしなくてはいけない」とガス入り防毒マスクを渡し、着用させることで殺害をしていたのです。

　ちなみに、この事件に関しては仕組みを警察が完全に突き止めたわけではありません。警察が突き止めたのは、一酸化炭素ガスを合成するために必要な薬品を偽名で購入していたこと、また合成高濃度一酸化炭素ガスは強烈な臭気を発するのですがそれを抑える方法はないかと大学教授のところに聞きにいったことなどです。

　そうした外堀を埋められていったことで観念してすべてを自供、トリックの詳細も明らかになります。一酸化炭素は硫酸とシュウ酸からから合成、副産物を活性炭フィルターで除去、高濃度化するという極めて独自のノウハウによって生み出されていました。そして動物実験でその効果を何度も検証の上、妻の殺害行為に及んだのです。

　さらにちなみに、先ほど、合成高濃度一酸化炭素ガスから発せられる臭気を抑える方法を大学教授に聞きにいったと書きましたが、実はそこで答えを得たわけではありません。非常にしつこく食い下がったものの、結局、有用なアドバイスを貰えなかった男性は、自分自身で試行錯誤の

末に無臭化に成功したそうです。ただの素人が目的達成のためにここまでする…恐るべき執念としか言えません[8]。

現代警察の捜査レベルはかつてと段違い！

この2つの保険金殺人は日本事件史の中でもミステリを地で行く事件と言えるでしょう。ただ、勘のいい人はお気づきでしょうが、いずれの事件も30年以上前のもの。科学捜査のレベルも今とは比べ物になりません。となるとやはり現代社会における完全犯罪は不可能と言わざるを得ません。

事実は小説より奇なり……とはよく聞く言葉ですが、こと科学捜査においてこれは通用しないということはよーく覚えておきましょう。

8）あまりにもしつこすぎたため、教授に強い印象を与えてしまう。本文中でも紹介した怪しすぎる振る舞いといい、非常にアンバランスである。

第2章

科学の今が
ここにある!
モノサイエンス概説

第8講

後学のために覚えておくべき

光学迷彩の
アレコレ

参考作品 ▶▶ **攻殻機動隊**

士郎正宗によるマンガをベースに、多面メディア展開する作品群。義体、電脳化技術、思考戦車などとともに光学迷彩も実用化されている。少佐こと草薙素子がしばしば使用する光学迷彩のヴィジュアルインパクトは強い。

▶**光学迷彩を扱う作品群**

GHOST IN THE SHELL 攻殻機動隊-、攻殻機動隊 STAND ALONE COMPLEX、攻殻機動隊ARISE

「目の前にいるのに、視界から消える」という光学迷彩。参考作品欄に挙げたとおり『攻殻機動隊』シリーズの映像作品のイメージが非常に強いと思われます。1995年に封切られた『GHOST IN THE SHELL/攻殻機動隊』での描写が、心に刻まれている古参オタクも多いのではないでしょうか〈写真**1**〉。

この光学迷彩、いかにもフィクションっぽいですが、実は意外にもリアルに昇華しつつある技術です。2016年ころ、東京大学先端科学技術研究センターの稲見昌彦教授が公開した光学迷彩が

〈写真**1**〉光学迷彩のヴィジュアルイメージを確立
『攻殻機動隊 GHOST IN THE SHELL』より

ネット民たちの間で大きな話題になりました〈写真②〉[1]。

　稲見教授の光学迷彩は、プロジェクタで背景画像を投影するというもの。つまり擬似的に光学迷彩を再現しているわけです。しかし時代はさらに進んでいます。本講では光学迷彩の仕組みと、フィクションで"っぽく"描くためのノウハウを紹介していきましょう。

　果たして現代科学は少佐にどこまで近づいているのでしょうか？

〈写真②〉話題をさらったリアル光学迷彩（https://www.rcast.u-tokyo.ac.jp/ja/research/people/staff-inami_masahiko.html）

見える見えない問題を可視化する

　そもそも"見える"ことは非常に曖昧です。"見える"を広く解釈すると「特定の電磁波を捉えられる」という意味になります。光というのはそもそも電磁波であり、電磁波はその名前の通り波です。

　波の大きさで色味は変わり、波が大きければ青紫系、小さければ赤系になります。　空にかかる虹。虹は太陽光が水の分子によって分光[2]され色が分けられたものです。そして虹といえば七色ですが、これはあくまで"人間が見たとき"にすぎません。人間の目は電磁波の一部の領域、350〜830nmあたりを光として見ることが可能。そのため七色の帯に認識するのです。これが紫外線領域がよく見える昆虫の目からは、青系統のみの虹になります。

　なお、人間でもいわゆる色覚異常の場合は虹は七色に見えません。赤緑色覚異常、青黄色色覚異常、一色型色覚異常などさまざまパターンごとに虹の見え方も変わってくるのです。ちなみに、色覚異常は女性は

1）稲見教授はインタビューでまさしく『攻殻機動隊』に影響されて光学迷彩の研究を始めたと語っている。
2）光を波長の強さによって分けること。

500人に1人、男性は20人の1人の割合で発生するもの。異常というより個性と捉えるべきでしょう[3]。

ようするに"見える"というのは、ある物体がその生き物個体ごとで認識できる電磁波の波長を反射して成立。これだけしておけばOKです。

そして白は全反射、黒は全吸収。光を吸収する黒は見えるというより、周りとの差によって黒と認識されているわけです。とはいえ、完全に全部吸収するという黒はそうそうありません。ただ、イギリスの航空素材開発企業・Surrey NanoSystems社が、99.965%の光を吸収する黒塗料・Vantablack S-VISを製造。これで塗装した物体は人間の目では凹凸が認識できなくなってしまいます〈写真3〉。闇夜でも星明かりさえ吸収してしまうので黒すぎて逆に目立つレベルです。人の目をごまかすのにはほどほどでなければなりません。

〈写真3〉 Vantablack S-VISの商品紹介ページ
https://www.surreynanosystems.com/super-black-coatings/vantablack-s-vis

すでに実用化? レーダー用光学迷彩

現代兵器という観点からは人の目以上にごまかさなければならないのがレーダーです。そしてこれはすでにかなりのレベルで実用化されています。

代表的なのはステルス戦闘機で、レーダーで使われるマイクロ波を吸収、ないしは普通に反射しないよう散らすといった技術です。戦闘機だけでなく、地上兵器にも使われています。液晶ディスプレイのように温度を変えられる装甲板を使った戦車では、赤外線撮影には映らないう

---

3) 色覚異常はかつて色盲と言われていたが、盲というのが差別的だとして使われなくなった。色覚異常という表現も見直しが検討されており、日本遺伝学会は2017年9月に色覚多様性という呼称を用いている。

え、映像を流すなんてこ
とも可能〈写真4〉。つま
り小型車両かと思ったら、
突如戦車が登場というこ
ともできてしまうのです。
まさにフィクション顔負
けですね。

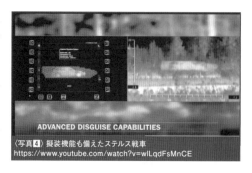

〈写真4〉擬装機能も備えたステルス戦車
https://www.youtube.com/watch?v=wlLqdFsMnCE

イメージどおりの光学迷彩は実現可能？

　ということで実はすでにめちゃめちゃ実用化されていた光学迷彩。
……ですが「こんなんじゃないやい！　カメレオンのように背景と同化
するアレを出せ!!」という声が聞こえてきそうです。ですよね。やっぱ
り少佐の如き光学迷彩の理屈を知りたいですよね。大丈夫。ちゃんと考
察していきます。というかそのために大前提の"見える"ことについて解
説しておいたのです。

　では、人間の目視では見えない……または見えにくい状態とはどんな
ものでしょうか？　超簡単なのは意外にも鏡です。たとえば部屋のなか
に鏡が置いてある場合、これは逆に目立ってしまいます。しかし砂漠や
森の中で、かつそれなりに距離があれば、周りの風景を反射して非常に

見えづらくなることは想像
できるでしょう〈第1図〉。
球体のミラーコートであれ
ば、ほぼ見えない感じに
なってしまいます。

　ただ鏡はあくまでまわ
りの風景を反射している
だけ。近くで見ると明らか
に鏡なのがバレてしまいま

〈第1図〉鏡の反射は超簡易光学迷彩

す。ましてや人工物の多い市街地などでは逆に目立つばっかりです。

やはり光学迷彩といえば後ろの風景を投影したいところ。これなら場所を選ばず運用できます。しかし鏡とはそれこそ次元の違う難易度です。ただ、絵空事かというとそんなことはなく、新素材の研究開発が行われています。この夢のような新素材こそ、メタマテリアル。メタマテリアルは電磁波を負の屈折で見え方をおかしくするという技術です。

2007年にはアメリカ国防高等研究計画局[4] が市街戦用の"こちらから相手は丸見えだが、相手からこちらは不可視"というメタマテリアルシールドを開発していると発表され、話題になりました。また、2015年には同じくアメリカのエネルギー省が管轄するローレンス・バークレー国立研究所とカリフォルニア大学バークレー校の共同研究チームが透明マントの開発に成功したとニュースも報じられています[5]。

最近だと、量子ステルス(Quantum Stealth)などとすごい名前で光学迷彩が紹介され、ネットで話題になりました。しかしフタを開けると、これまたレンチキュラーレンズの応用……。なかなか革新的な光学迷彩はあらわれません[6]。

透明といえば、屈折率[7] が近いものの中に入り込むと透明に見える現象はよく知られています。この現象をうまく利用したのが透明骨格標本です〈写真**5**〉。透明骨格標本では、筋肉の中の水分をグリセリンに置換することで擬似的に透明っぽく見せています。これは家庭レベルでも実験可能。たとえば油の屈折率は大体1.45〜1.48くらいで、レンズなど

〈写真**5**〉実は光学迷彩?な透明骨格標本

---

4) Defense Advanced Research Projects Agencyの頭文字を取ってDARPAと呼称される(以下、本文でもDARPAとする)。軍用新技術の研究開発を行う米国防総省の機関。インターネットの原型やGPSを開発した。
5) その正体はなんてことのないレンチキュラーレンズの応用で、透明っぽく見えるだけのありふれた素材の再発明的なものであったことが判明した。レンチキュラーレンズとは、かまぼこ型の凸レンズで、見る角度で絵柄が変わる玩具などにも使われている極めてフツーな素材。
6) 研究開発中の技術は、途中で暗礁に乗り上げることがぶっちゃけかなり多い。
7) 真空中にある物質のなかに光が入ったときに生じる、速度変化の度合いを表す値。

に用いられる光学ガラスの屈折率もおおむね同程度です。サラダ油とガラスがあれば完全に消えないものの、それなりに見えなくなるので気になる人は試してみてください。

光学迷彩はどう描くべき？　横から丸見え問題を考える

　以上のように光学迷彩は、現在のテクノロジーが進むことで実用化できそうな、射程距離に入っている技術と言えるでしょう。一方、いろいろ想定できるがゆえに、それに伴う弱点についても想像できてしまいます。そのあたりを以下では考えていきましょう。

〈第2図〉横から丸見えな映像投影型光学迷彩

　まず、『攻殻機動隊』シリーズで描かれているような、全身タイツ風光学迷彩スーツ。これは、有機ELのような微小素子を埋め込むことによってスーツ表面をディスプレイ化し、後ろの映像を投影しているという方法論が考えられます。この場合の難点は、現在の技術延長で考えると、一方向への光学迷彩としては成立しても、全方位に向けるのは困難であること。つまり人に囲まれるとバレまくってしまいます〈第2図〉。

　次に、空気の屈折を利用した光学迷彩も考えてみましょう。空気の屈折として超メジャーなのが、ご存じ蜃気楼です。

　蜃気楼は温度差による空気の屈折率の違いから発生する現象。そこにあるはずのものが消えてしまったり、逆にはるか彼方にあるものが投影されたりします。海岸線や湖、山や砂漠などで観測されることが多いのは、これらが極端な温度差が発生しやすい場所だからです。

　この理論を使った光学迷彩は、温度変化を得意とする異能力者が姿を

〈写真❻〉全方位光学迷彩で炸裂する回し蹴り by少佐
『攻殻機動隊 GHOST IN THE SHELL』よりs
©1995 士郎正宗／講談社・バンダイビジュアル・MANGA ENTERTAINMENT

隠すときなどに使えるでしょう。ただ移動する物体に合わせて温度を変化させるのはかなり困難。仮にできたとしても、移動した部分の像がゆがむので、今どこにいるかはわからなくても移動の軌跡は超余裕で見えてしまいます。バトルなどの激しい動きを伴うときには向かない光学迷彩です。

　やはりSF的には光学メタマテリアルが存在し、まわりの光をそのまままるごと迂回させているという設定構築が理論上最強と言えるでしょう。『GHOST IN THE SHELL/攻殻機動隊』において少佐が光学迷彩スーツを着用して人形使い操作中に敵をフルボッコにした際、相手方向だけでなく観客方向にも光学迷彩が発動していました〈写真❻〉。メタマテリアルであれば映像投影型で問題になった周りから見えちゃう弱点も克服可能。実現[8] [9]に向けては……DARPA頑張れ！

　ただ、メタマテリアル光学迷彩も死角なしというわけではありません。まず可視光だけを対象としている場合、赤外線モードに切り替えられるとはっきりと見えてしまう可能性があります。また急激な温度変化があると熱の伝わり方が空気とはまったく異なるので、赤外線カメラで見えてしまう可能性も高いでしょう。

　このように光学迷彩も掘り下げるといろいろな視点が生じてきます。創作という面からは、圧倒的強さを演出する無敵の技術として描くのではなく、本講で紹介したような弱点も踏まえると、いっそう作品に彩りが加わるでしょう[10]。

8）　原作において人形使い事件は2029年の出来事。本稿執筆時から10年後というわけで、昨今の技術発展スピードを考えると結構いけちゃうんじゃないかと……。ちなみに、『攻殻機動隊』シリーズの世界観を支える「記憶を記録情報にする技術」は原作中では2015年に実現している。やっぱり光学迷彩もいけちゃうんじゃないかと。

9）　ネット上には「透明マントを試してみた」的な、光学迷彩を実現したとする動画がいくつかある。そうした動画を観てみると、地面にはしっかり影が映っている。メタマテリアルであるならば光を回り込ませることで影は存在しない。つまりこうした動画はクロマキー合成によるフェイクだということ。

10）　敵が光学迷彩を使用している際はどうやって倒すかという攻略法として、自分が使用している際はアクシデント発生からの危機回避として、などなど。

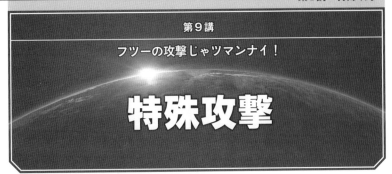

第9講
フツーの攻撃じゃツマンナイ！
特殊攻撃

参考作品 | **ファンタシースターシリーズ**

1987年に第1作がリリースされた、RPGシリーズ。ファンタジー世界があたり前なRPGというジャンルでは珍しくSF世界観を前面に押し出しているのが特徴で、個性豊かなさまざまな未来兵器が登場する。

▶**特殊攻撃を扱う作品群**
ブギーポップは笑わない、魁!!男塾、モンスターハンターシリーズ

　前作『アリエナクナイ科学ノ教科書』でも、武器についてはいろいろと取り上げて考察してきました。アニメやマンガ、ゲームで描かれる魅力的な武器は本当にたくさんあるため、続編の本書においてもいくつかピックアップして考えていきましょう。

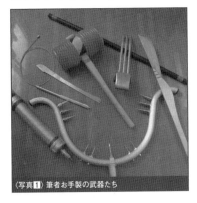

〈写真1〉筆者お手製の武器たち

　四方八方に広がり触れたものを切断するワイヤー、ゾンビも楽々真っ二つにしてしまうチェーンソウソード、触れるだけで相手を仕留める毒手。フィクションではよく見かけるもののリアルにはなさそう……いやいや本当にそうでしょうか？　筆者はこれらの武器のうち、いくつかの自作に成功しています〈写真1〉。

ということで否定から入らず、科学視点で検証していきましょう！　武器制作だって"なせばなるなさねばならぬ"です。夢ある世界がアナタを待っていますよ！

相手はバラバラに！　切断系ワイヤー

まずはフィクション武器筆頭とも思えるワイヤー武器[1]。特に代表的な名前がついておらず、性状も物質も作品によってマチマチながら、とりあえず触れれば切れる糸みたいな感じで描かれるケースが大半です。例を挙げると数限りないのですが、メジャーどころでいえば『ブギー

〈写真❷〉死神とも称されるブギーポップ
©KOHEI KADONO/MEDIA WORKS・Project Boogiepop

ポップは笑わない』の主人公・ブギーポップでしょうか〈写真❷〉。
さて、切断バラバラ系ワイヤー武器にも種類はいろいろあり、釣り糸のようなもの、金属製ワイヤーにダイアモンドを定着させたもの、生物由来のもの、カーボンナノチューブ、筆者が知っているのはこのくらいですが、きっと他の素材もあることでしょう。

　素材についてはあとで改めて考察するとして、まずそもそも、ワイヤーで人体をバラバラに切断することなんてできるのでしょうか？　結論から言ってしまうとこれは全然余裕で可能です。実際、ワイヤーによって体を切断する事故はときおり発生します[2]。クレーンロープの破断事故で跳ね回ったワイヤーが現場作業員を切断したというエグいケースも過去にはありました。ほかにも漁船で大型魚用のテグスが指に絡まり、さ

1）なお必殺仕事人的な、相手を吊るし上げる→ベンッ！→死亡という系統のワイヤー武器もあるが、本講では切断バラバラ系に絞って話を進める。
2）2016年には、バイクの速度超過で白バイに追われていた男性が電柱を支えるワイヤに激突し、上半身と下半身が真っ二つになるという事件が発生している。

らにテグスがスクリューに巻き込まれた結果、指が飛んだ例もあります。もっと身近なものでは、首に縄跳びをかけたままエレベーターに乗り、一部が外に出ていることに気づかずに動き出し……この詳細はあまりにグロいので自主規制しておきましょう。

ここまで紹介してきたのは事故の例。しかしもともと切ることを目的に改良したワイヤーソー、すなわちワイ

〈写真❸〉携帯用に改造したくられ印のワイヤーソー

ヤーのノコギリというものも存在したりするのです。ワイヤーソーは大型の工業機械もあればアウトドア用の携帯用もあります。携帯用ワイヤーソーは人間の手首くらいの太さの木であれば数分ギコギコすることで切断可能。ネット通販でも普通に売っていますが、筆者はかつて改造したことがあります〈写真❸〉。

人間の体をワイヤー的なもので切断すること自体は可能なわけですが、問題になるのは強度です。まず、見た目的にワイヤー武器っぽい釣り糸で見てみましょう。実は日本製の釣り糸は日本釣用品工業会という団体が定める規格を満たさなければなりません。最も細い0.1号（直径0.053mm）の強度は200グラム以下ですが、50号（直径1.17mm）では70キログラム近く、200号（直径2.340mm）では約240キログラムにも至ります。さきほど紹介した大型魚用のテグスで指が飛んだ事例も当然と言えそうです。また、ステンレス製の編み込みワイヤーなら1mmで80キログラムほどと、さらに強度は上がります。

ということで現代の素材であれば細いひもでも人を吊り上げることくらいは余裕で可能。「でも人の力で相手をバラバラになんてできるの？」という疑問がでてきますよね？　確かに前述のテグス指飛ばし案件もスクリュー、つまり機械に巻き込まれたからこその悲劇です。でも大丈夫（？）。ワイヤー同士をうまく絡めて滑車のようにすれば革手袋くらいの

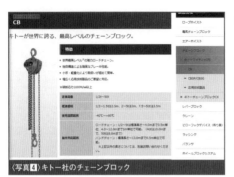

〈写真**4**〉キトー社のチェーンブロック

装備で相手を拘束したりバラバラにしたりは十分に可能です。たとえば重量物の運搬や積み下ろしなどに使用されるチェーンブロックは、人力だけで何百キロもの物を牽引できてしまいます〈写真**4**〉。

　ただし、複雑なアクションやワイヤー同士が干渉したところが共ズレして破断することは確実。さらに相手を絡め取るには、重りをつけて投擲しなければなりません。またそもそも、ワイヤーを固定しているところの張力限界はワイヤーの強度よりはるかに低いためそこから破壊が起こってしまいます。以上のように、拘束＆バラバラは可能ではあるものの、実際に武器として運用するのは不可能と言えるでしょう。

　ただ未来素材として考えると、クモの糸などの生物由来の素材は未来があるかもしれません。ただ、実際にクモの糸を太くすると、とたんにナイロンと大差ないかそれ以下の強度になったりもするそう。細くて強靭なものをスケールアップして強化……というものでもなさそうです。

　こうしたワイヤーの境地がカーボンナノチューブです。カーボンナノチューブは軌道エレベーターへの採用が有力視されています。炭素原子で六角形の編み目でチューブ状に連なったもので、その性能は鋼鉄の200倍近く。これであれば目に見えないレベルの細さでも十二分な強度を実現できます。さすがに骨の切断までは難しいでしょうが、人力で致命傷となる斬撃を加えられることは間違いありません。

実在の拳法!?　特殊な毒手の世界

　続いて考察するのは毒手。自らの手に毒を仕込み、相手を攻撃するというややトリッキーなアレです。往年の少年マンガにはしばしば登場し

ました[3] し、21世紀に入っても『バキ』の柳龍光という死刑囚が毒手の使い手として登場〈写真**5**〉。近年も2016年リリースの格ゲー『ストリートファイターⅤ』にF.A.N.Gという毒手使いが新規参戦しています〈写真**6**〉。細々ながら一定の需要はあるということでしょう。

　そんな毒手の由来は、やっぱり武道です。武道のルーツをたどると、暗殺術に起源を持つケースが多し。暗殺術では毒針などを使用して相手を毒殺する手法があります。それをもっと直接的に、「手に毒を染み込ませて攻撃すればいいんじゃね？」というアイディアに至ったわけです。絵的には面白いのですが、日常生活に困りそうですね（笑）。

　で、毒手ですが、敵にとって毒になるものを自分に染み込ませ、自分は無害で相手を攻撃……。いかにも無理筋な印象ですが、実はこれ、可能だったりします。動物は、一定の毒に対して免疫のような抵抗性を獲得するのは結構得意です。「これまで

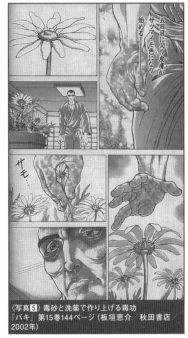

〈写真**5**〉毒砂と洗薬で作り上げる毒功
『バキ』第15巻144ページ（板垣恵介／秋田書店 2002年）

〈写真**6**〉シャドルー四天王のひとりF.A.N.G

の殺虫剤が効かないゴキブリが登場！」という情報を見聞きしたことがある人も多いんじゃないでしょうか？　ピレスロイド系の殺虫剤は人間にとってはほぼ無害でも昆虫には致命的な猛毒です。しかし一部のゴ

3）おっさん世代だと、『魁!!男塾』の男塾死天王・影慶を思い出すはず。慄慄流の穿凶毒手とか穿凶毒手拳幻脱界とか。

キブリはそれを摂取しても大丈夫になってしまいます。なぜでしょうか？　答えは、昆虫とは常に数でDNAをシャッフルし続け、多様性を持たせることで確率的に抵抗力のあるカブが生き残るように常に進化し続ける種だからです[4)]。2019年にもニューズウィーク日本版に「あらゆる殺虫剤に耐性を持つゴキブリが激増中」という記事が掲載されました〈写真7〉。つまりゴキブリは死んで死んで、増えて増えて、その数の暴力で人間の英知を超えてくるわけです。

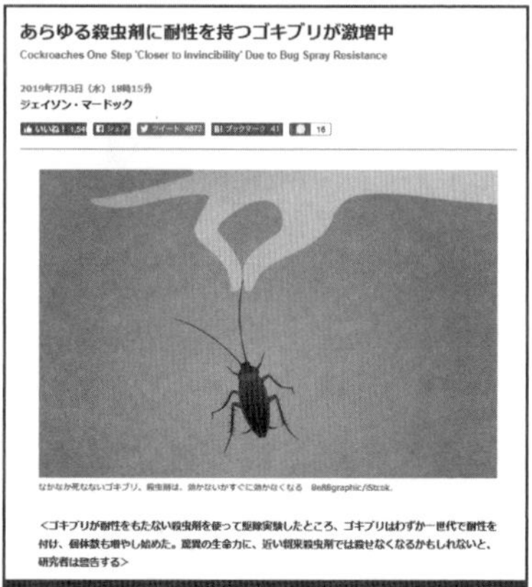
あらゆる殺虫剤に耐性を持つゴキブリが激増中
Cockroaches One Step 'Closer to Invincibility' Due to Bug Spray Resistance
2019年7月3日（水）18時15分
ジェイソン・マードック
なかなか死なないゴキブリ。殺虫剤は、効かないかすぐに効かなくなる
<ゴキブリが耐性をもたない殺虫剤を使って駆除実験したところ、ゴキブリはわずか一世代で耐性を付け、個体数も増やし始めた。驚異の生命力に、近い将来殺虫剤では殺せなくなるかもしれないと、研究者は警告する>

〈写真7〉2019年7月3日にアップされた記事
出典：https://www.newsweekjapan.jp/stories/world/2019/07/post-12459.php

「でもそれってゴキブリだからでしょ？　人間は無理なんじゃ……。」という声が聞こえてきそうです。でも、人間でも決して無理なことではありません。ごく身近な例をあげれば同じ薬を飲みすぎるとだんだん効かなくなることがあります。薬と毒は紙一重ですから、人間にも毒に対する抵抗性は備わっているわけです。

またたとえばトウガラシなどに含まれる辛味成分・カプサイシンは、もともと植物が“動物に食べられないようにする”ための痛み成分として生み出されました。しかし今や人間は「辛くてウマー！　カプサイシンの刺激がタマラン」などと喜んで食べているわけです。植物側からすれば「解せぬ」と思っていることでしょう。

また、ふぐ毒や毒蛇といったものに日頃から微量に触れていると抵抗力を持つことが知られています。通常の人間であれば致死量の毒を与えてもなぜか死なない人がいても決しておかしくはありません。

さらに猛毒ガスで知られる神経剤サリンの発明者でも知られる、ゲル

4）ちなみに“殺虫剤が効かないゴキブリ”を耐性ゴキブリというが、蓋をあけると意外に複雑である。摂取しても本当に毒が効かないという超エリート耐性ゴキブリがいる一方、味覚が発達して毒を摂取しないように進化した回避型耐性ゴキブリも存在。

ハルト・シュラーダー博士という人物に関して興味深いエピソードがあります。シュラーダー博士は、もともと有機リン系の殺虫剤の研究途中でタブンを発見しました。その殺虫剤のデモンストレーション中にバタバタと見学者が倒れたことから、その毒性が陸軍の目にとまったんだそうです。

〈第1図〉慣れしたんだ人には効かない毒

　一番近くで一番毒を被爆していたはずの博士がピンピンしており、見学者が倒れるという事実は、つまりそうした神経ガスにさえ人間はある程度「慣れ」、抵抗力を持ちうることの証明と言えるでしょう〈第1図〉。

　これを毒手に当てはめていくと、物理的に人間のタンパク質を溶かしてしまうような毒物は難しいものの、神経毒などのソフトウェア的な毒であれば実現不可能とは言えません。常日頃からの被爆によって免疫システムを構築し、他者にだけ毒性を有する毒を手の角質層に染みこませ運用するということは不可能ではなさそうです。前述の『魁!!男塾』では、王大人が「しかし仕掛ける者も（中略）己の命を断つことになる」と解説していましたが、事前準備をしっかりしておけばなんとかなるかもしれませんね〈写真8〉。

〈写真8〉「死亡確認」同様、結構適当な王大人
『魁!!男塾』第10巻16ページより（宮下あきら／集英社／1988年）

「毒が効かねえ!?」はあり得るか？

攻撃というテーマからは外れますが、せっかくなので毒耐性についてもう少し考察しておきましょう。『HUNTER×HUNTER』に登場するキルアは何度か「毒は効かない」と豪語しておられました〈写真**9**〉。彼ほどでなくても現代の科学ですでに実現可能そうなものとしては、フグのナトリウムチャネルの遺伝子を人間に遺伝子ドー

〈写真**9**〉キルアの対毒性は意外に科学的？
『HUNTER×HUNTER』第1巻130ページより（冨樫義博／集英社／1998年）

ピングすることでフグ毒に抵抗性を持たせることです。

フグの毒として知られるテトロドトキシンは、筋肉の興奮（収縮）に使われるナトリウムイオンの入り口であるナトリウムチャネルを微量で選択的に阻害することで、情報伝達を阻害し、その結果心臓や呼吸などの生命維持に必要な神経活動を麻痺させて命を奪います。そしてこの毒を、フグは食べ物などの体外から集めているのです。つまり、フグ自身もテトロドトキシンを摂取しているということ。

ではなぜフグは死なないのでしょうか？　答えはフグの筋肉のナトリウムチャネル自体がテトロドトキシンがはまり込む構造をしていないから。ゆえに猛毒のはずのテトロドトキシンに抵抗性を持つわけです[5]。この遺伝子を人間に導入すれば……というと「それこそSFかよ！」と突っ込まれてしまいそうですが、決してフィクションと嘲笑うことはできません。すでにアメリカでは、そうした組み替え遺伝子の導入が民間でも扱えるレベルで簡易になっており、バイオハッカーなどと呼ばれる遺伝子組み換えをアートなどに使っている人がいるほどです。野良の科

---

[5] ただしこれはフグが外部から摂取するテトロドトキシンがごく微量ずつだからのこと。超高濃度の場合、フグも普通に死ぬ。

学者が自分で猛毒抵抗性を手に入れることは不可能ではないかもしれません。ただ当然ながら、これで得られるのはテトロドトキシンに対する抵抗性です。フグをムシャムシャ食い散らかしても無問題ということで、「オレにフグ毒は効かない……」というセリフをカッコよくキメられるかどうかは非常に悩ましいところでしょう。

ありそうで実はない武器をあらすには？

　ということで毒手については「いかにもフィクションだが、なにげに実現できそう」という結論に至りました。一方、「すでにありそう」と思えるものの、実はまだ存在しない武器もあります。ここからはそうしたものについて実現可能性を模索していきましょう。

　まずはゴムロッドです。軍人系のキャラクターが有していることが多く、たとえばまたまた『ストリートファイター』シリーズのロレントがブンブンブンブン振り回しているロッドもメチャクチャよくしなるのでおそらくゴムロッドと推察されます。革袋に砂などを詰め込むブラックジャックはリアル武器として有名です。似たような印象を与えるゴムロッドもなんかありそうですが、残念ながら実在はしていない模様。ロレントはロッドをハイジャンプのバネ代わりにし、そのしなりを生かした武器として使っています〈写真10〉。痛そうです（笑）。

　一言にゴムといっても、実はは非常に種類が豊富。タイヤや輪ゴムなどに使われる天然ゴムという言葉は一般的なのでなんとなく聞いたことがあるのではないでしょうか？ほかにも屋外使用または化学薬品からの防護用に使われるイソプレンゴムのようなジエン系ゴム、シリコーンゴムやフッ素系ゴムなどは比較的メジャーどころです。さらには熱可塑性プラスチックの代

〈写真10〉金属ではアリエナイしなりを示すロッド

表格・ポリエチレンの一部を塩素化した塩素化ポリエチレンなんかもゴムとして流通。これらは天然ゴムに対し、合成ゴムと総称されます。

またこれらのゴムが工業製品として成立するには硫黄を加え、弾性を持たせなければなりません。これを加硫といいます。加硫をすることで、ビヨ〜ンと伸ばして元に戻るゴムらしいゴムになるのです[6]。

こうしたゴムをそのまま人間が握りやすい直径20〜30mmで、かつ武器として適切な1メートルほどの長さの棒状にすると、大半の素材で重力に逆らえずヘナーっと曲がってしまいます。強度重視のゴムもあるのですが、これはこれでただの硬い棒にすぎず正直、木刀と変わりません。

なので、実際にゴムロッドを作ろうとする場合は一工夫が必要です。具体的にはまずゴムの中心部を中空にして、いわゆる肉厚のゴムホースを作成。そこに適度に焼きの入った強力なスプリングを内蔵すれば、ゴムのしなやかさと成人男性の体重でも支えられるような強度を両立できるでしょう。ロレントが振り回しているロッドも、おそらくこうした構造になっているものと思われます〈写真11〉。科学的に道筋を立てられました。

〈写真11〉ロレントのキャラ選択画面

余談ながら、アメリカのナイフメーカー・コールドスチール社は、ゴム武器を商品化[7]していたりします〈写真12〉。なにげに日本のAmazonでもコールドスチール社製のゴムナイフを買えてしまったりしたりして……。

〈写真12〉コールドスチール社カタログに掲載されるゴム武器

6）加硫していない状態のゴムを生ゴムという。生ゴムをひっぱると伸びたままになり、元には戻らない。
7）他にも強化ゴム製の馬上鞭や、ウィップなんかを扱っていたりする。

実は恐ろしいリアルレイピアって？

　ゴムのようなしなやかさに加え、猛烈な突き属性を持った武器として描かれることが多いのがレイピアです。レイピアは17世紀頃のヨーロッパで決闘用の武器として作られたモノ[8]で実戦兵器ではありませんが、RPG

〈写真13〉相手にあたるとみょーんと曲がる剣
(https://www.youtube.com/watch?v=leOP7rWwBpw&feature=emb_logo)

などでも定番な存在。しかし、いくら細いとはいえ金属製の剣なわけで、ビョンビョーンとしなったりはしません。

　レイピアにしなりまくるイメージがあるのは、おそらくスポーツのフェンシングで用いられる武器が、試合の際にビョンビョーンとなっているからではないでしょうか？　北京五輪の銀メダリスト・太田雄貴氏がフェンシングの魅力を伝えるために公開した動画でも、剣がしなりまくっているのを確認可能〈写真13〉。フェンシングの武器には宇宙工学でも用いられるマルエージング鋼という特殊な金属が用いられています。もちろんスポーツで用いられる武器なので最大限の配慮はされていますが、そうは言っても武器。フェンシングの試合でも死亡事故が発生したケースはあります[9]。そう考えるとすでに今でも十分武器として成立しているともいえるでしょう。

　しかし冶金学の進歩という観点から、一層フィクションに近づける可能性も検討しておきたいと思います。たとえばチタンの鋼鉄の爆発圧接複合素材の採用。中心に鋼を入れてそのまわりにクラッド鋼[10]などはレイピアの強度、いや狂度を上げるでしょう。さらに先端部にタングス

8）刃渡りが1メートルほどあるのに対して幅は2.5cm程度であることが多い。軽やかに取り扱う片手剣というイメージだが、重量は約1.5kgと日本刀とほぼ同様かそれ以上。参考までに、公式試合用成人男性用竹刀の重量が510g以上という規定があるため、少なくとも竹刀を片手で軽やかに扱える人でないとレイピアを華麗に扱えない。

9）1982年には旧ソ連時代のオリンピック金メダリストであるウラジミール・スミノフが世界選手権中に対戦相手を刺殺してしまうという事件が発生。この事件はフェンシング用具の安全度を向上させる契機となった。しかし日本国内でも、2005年に三重県で開催されたフェンシング大会で55歳の男性が死亡した例がある。

10）異種金属となじまないことで有名なチタンを、爆薬の爆発的エネルギーで無理矢理圧接した鋼材。耐摩耗性、耐化学腐食性に優れ、発電所の建材としても用いられている。

テンなどの金属を用いた上で、さらにさらにまわりをチタンかアルミニウムといった複合素材などを採用すれば……。剣技における"突き"はエネルギーが一点に集中されるため通常は細い剣なら折れてしまいます。しかし複合素材であれば貫通エネルギーを発揮可能です。

チェーンソウって武器になりソウ？

　ここまでいろいろな特殊攻撃を取り上げてきましたが、最後にド定番な殺戮兵器についても考えておきましょう。そう、チェーンソウです。

　B級ホラー＆B級モンスターパニック映画には欠かせない存在[11]であり、筆者オススメのマンガ『血まみれスケバン・チェーンソー』でもタイトルどおりメインウェポンとして使われています〈写真14〉。

　このチェーンソウ、フィクションで使われるときにはとにかく相手をバランバランに解体してしまう、無双状態を演出する武器として描かれるケースがほとんどです。実際に硬い木を数秒で切り倒してしまうチェーンソウ。かつてはガソリンとオイルの混合燃料を使用するエンジン搭載型ばかりで、ブルンブルンバリバリバリと騒音を撒き散らす存在でしたが、近年は強力な電動モーターを搭載した電動チェーンソウも多く登場しています〈写真15〉。静音性も格段に向上したと言えるでしょう。

〈写真14〉まさにイメージどおりなチェーンソウ使用法
『血まみれスケバン・チェーンソー』第1巻5ページより
（三家本礼／エンターブレイン／2010年）

〈写真15〉工機ホールディングス製電動チェーンソウ

11）よく知られている話だが、チェーンソーのイメージがメチャクチャ強い『十三日の金曜日』のジェイソンは、チェーンソーを使ったことがない。

チェーンソウの武器化は無理ソウ……

　そう考えると近接武器として運用されていてもおかしくない気がしてきます。ではなぜ、フィクション界で引っ張りだこなチェーンソウは武器にならないのでしょうか？

　よく言われるのが「チェーンソウで肉をぶった斬ると小さい刃と刃のスキマに肉や脂が挟まり即座に空転。さらに入り込んだ血でモーターが故障して無用の長物と化す」という説です。

　しかしこれはどうでしょう？　そもそもチェーンソウの本来の相手である生木はかなり水分の多いモノであり、氷像を作るのにも使われることもあります。血や脂ごときで壊れることはありません。なにより遺体をバラバラにするのにチェーンソウを使ったというシリアルキラー氏の供述もあったりします。いっそうチェーンソウ最強武器説が確立されそうです。

　しかし残念ながら、チェーンソウには武器にするにあたっての致命的な欠陥があります。それは「正しく使わないと事故に遭う」という身も蓋もない正論です[12]。

　どういうことかというと、機械工具は人類では到底固定できない凄まじいトルク[13]を有しています。どんな鍛え上げた人間であっても、電動ドリルの回転を腕力で止めることはできません。

　機械工具で最も注意しなくてはならないのは"巻き込み"です。講習でも巻き込み防止については口を酸っぱくして指導されます。機械工具はおとなしく回っているように見えても凄まじいパワーを秘めているのは前述のとおり。ヒラヒラした服や長い髪の毛が少しでも触れるととんでもないパワーで巻き取っていきます[14]。実際、上着が機械に巻き込まれるや否や、上半身の皮や肉まで引きずり込まれたという労災事故もあ

---

12) これはチェーンソウに限ったことでなく機械工具全般に言えることである。
13) 力と距離の積で純粋なパワーみ。
14) 基本的に電動工具と軍手の併用はNG。どうしても素手を避けなければならない場合は、巻き込まれたところがすぐに破断してちぎれるゴムの手袋や専用の手袋を用いる。

りました。

　もうひとつ、キックバックも問題です。キックバックとは、機械工具使用時に堅いものにぶち当たったり、角度が悪かったりすると回転に急激な負荷がかかり、工具自体が暴れまわってしまう現象をいいます。このキックバックが発生したとしても腕が肩より下にあれば、まだふんばりも利きますし上半身にダメージが及ぶ確率は低めでしょう。しかし肩より上で、しかも回転系機械工具を使用すると、キックバックが発生したときには人体構造上、腕の関節が曲がる方向、すなわち顔面方面に向かってきます。つまりチェーンソウを振りかぶり敵にあてたときにキックバックすると自分の顔面を真っ二つにすることになってしまうわけです〈第2図〉。

　またそもそもキックバックは対象をしっかり固定するなど"正しい使用法"をしているときにも発生するもの。まして逃げ回ったり反撃を試みたりする相手に武器として使おうものならキックバック祭り開催というほど起こりまくるでしょう。

　キックバックは一方方向に回転している工具に発生しやすい現象です。そこで最近では2枚刃で一方は時計回り、もう一方は反時計回りで回転させることでキックバックを防止する電動丸ノコなども登場しています。

　しかしたとえキックバックを防止できたとしても、回転ブレードである以上、巻き込みの危険性はなくなりません。つまり、チェーンソウは、相手に対する攻撃力は高いものの自分への危険性も同様、もしくはそれ以上に高いわけです。自分のほうが危ないものを武器に選ぶ人はあまりいないでしょう（笑）。

　ただ、ここまで解説してきたのは、あくまで生身の人間が手持ちをしているという前提です。パ

〈第2図〉相手より自分を攻撃する可能性大

ワードスーツのように機械補正がかかることで確実に固定でき、巻き込み防止も万全であればチェーンソウは実用的な超兵器となるでしょう。しかし世の中には普通に武器になるものがいっぱいあります。そこまでしてチェーンソウを武器にする必要性はありません。

　しかしいつの日か、宇宙から巨大昆虫型エイリアンが襲来するなど、必要に迫られれば戦闘用チェーンソウがお目見えすることでしょう[15]。よく言われることですが、必要は発明の母なのです。

---

15) 映画『スターシップ・トゥルーパーズ ザ・インベイジョン』では、そんなロマン兵器がパワードスーツに搭載されて描かれている。

第10講

貧者の核兵器はかくも恐ろしきもの

生物化学兵器
入門

参考作品　**チャイルドプラネット**

架空の都市・横浦市に殺人ウィルスがまかれる。これは一定以上の成長を遂げた大人になると発病し、必ず死に至るというものだった。米軍によって封鎖された横浦市で、生き残った子どもたち。しかし彼らも少しずつ成長していき……。

▶生物化学兵器を扱う作品群
『バイオハザード』シリーズ、ザ・ロック、風の谷のナウシカ

　戦争といえば基本的には銃と爆弾の世界です。しかしそれは表の世界。戦争の裏側にはとっておきの隠し玉……存在自体が忌み嫌われる生物化学兵器が鎮座ましましております。

　生物化学兵器という言葉の凄みもあり、禁断の兵器という印象を強く与えますが、イメージが先行している面も否めません。イメージ先行しているがゆえにフィクションでもしばしば登場するものの、「なんか知らんがさわると死ぬガス」のように超絶漠然と描かれてるケースも散見されます。

　本講では、意外と知られていない生物化学兵器の実態をまとめて解説。なお、本書はあくまでエンタメ書です。語りはじめたらキリがない具体的成分などへの言及は最低限にとどめ、戦争物のフィクションで描かれる際に重要な部分に絞って押さえていきましょう。それでははじまりはじまり。

人の作りしもの：化学兵器のカテゴライズ

　まず一言で生物化学兵器と呼称していますが、いったん整理が必要です。生物兵器、化学兵器とは何か、それぞれについて解説していきましょう。ここがごっちゃになっていると「生物化学兵器ってサリンとか？　あれ、でも生物兵器は病原体とか？　あれ？　あれれ？」となってしまいます。

　まずは化学兵器。実を言うと厳密な定義はありません。統一的に言えるのは合成された毒性の高い化学物質ということです。蒸発しやすいものもあればしにくいものもあり、特性はさまざま。合成された化学物質をアセトンやヘキサンといった有機溶剤に溶かして散布するのが基本となります。ですから仮にサリンを合成できる技術と環境があっても、それを入れる容器や散布する装置がなければ化学兵器としてはうまく機能しません[1]。

　前述の通り、化学兵器は合成した物質によってさまざまな特性を有します。ただ、軍事作戦に用いるという意味から❶殺傷兵器、❷汚染兵器、❸無能力化兵器と、おおむね3つにカテゴリー分けが可能です。

❶殺傷兵器

　単純に相手にダメージを与えるもの。現代だとサリンやVXといった神経ガスが有名です〈第1図〉。ただ、今では工業ベースや一般家庭で

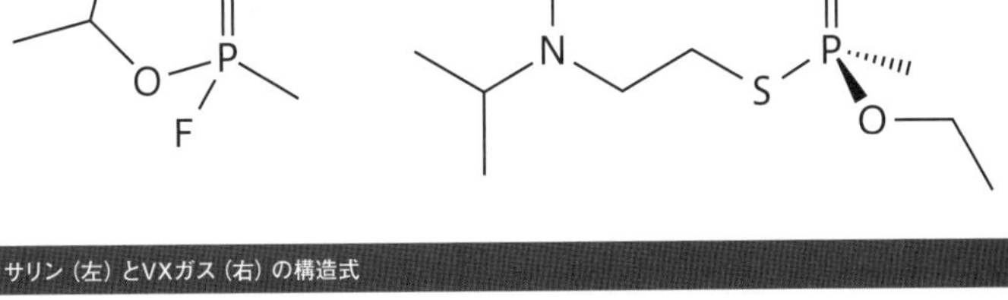

〈第1図〉サリン（左）とVXガス（右）の構造式

---

1) 兵器は"軍隊が戦争で軍事活動に用いるもの"という前提において。もちろん化学物質を合成した時点で毒性があるので、社会混乱を目的としたテロには十分に使える。

平和裏に用いられるのに、かつては化学兵器だったものもあります。合成樹脂の製造過程で使われるホスゲンや、「混ぜるな危険」の洗剤から発生する塩素ガス〈写真**1**〉。これらは実際に化学兵器として使用され、多くの死傷者を生み出しました[2]。

〈写真**1**〉家庭用品品質表示法で義務化

❷汚染兵器

残留性が高く、除染しないかぎり長時間、一定のエリアを汚染し続けます。マスタードガスの名でも知られるイペリットや、ヒ素化合物のルイサイトは皮膚や呼吸器に深刻な被害を与える"びらん剤"と呼ばれる化学兵器です。触れるだけで効果があるためガスマスクでは防御ができない殺傷兵器として使用される一方、残留性も非常に高く、汚染兵器としての側面も持ちます。市街戦などで敵勢力が突破してこないよう防御する目的から汚染兵器によるエリア汚染が行われたこともありました。

ベトナム戦争で用いられ、いまだに現地に悪影響を及ぼし続ける枯葉剤も汚染兵器にカテゴライズ可能でしょう[3]。

❸無能力化兵器

殺傷を目的とせず、相手戦力の排除するだけの化学兵器です。目を攻撃して痛みと涙で行動不能にする催涙剤、気管を刺激して相手をむせさせ嘔吐に至らしめる催吐剤、幻覚状態に陥らせて戦闘力を削ぐ幻覚剤、などがあります。

その他、焼夷弾も化学物質によって着弾後に炎を巻き起こすため、かつては化学兵器扱いされていました[4]。

2）もちろんこれらが今となっては安全というわけではない。ホスゲンは「毒物及び劇物取締法」にて毒物指定されているうえ、まさに「化学兵器の禁止及び特定物質の規制等に関する法律」でも毒性物質として規制対象になっている。「混ぜるな危険」は1987年、1989年に風呂掃除中の主婦が死亡した例を含む多数の事故発生により1990年より酸性タイプと塩素系タイプの商品ラベルに表示が義務づけられた。ただしその後も混ぜたことによる危険な事故は一定頻度で発生している。
3）2019年4月、かつて枯葉剤の貯蔵施設だった跡地の除染作業が開始された。ベトナム戦争で枯葉剤が使用されたのは1961年から1971年にかけて。40年近く経った現在も現地を汚染し続けており、除染作業が終了するにはさらに10年がかかるとされている。
4）現在は、物理エネルギーによる標的破壊であるという使用目的から、通常兵器とするのが主流。

自然由来……なのに凶悪：生物兵器

　化学兵器よりフィクションにおける
描かれ方がカオスっているのが生物兵
器です。『バイオハザード』のタイラン
トや、『バオー来訪者』のバオーなど、
動物由来の異形を生物兵器とする描写
もしばしば見られます〈写真 **2**〉。ただ、
遺伝子組み換えなどの科学的アレコレ
で人を襲う巨人やゾンビ、キメラなん
ていうのは今の技術では不可能です。

〈写真 **2**〉堂々と生物兵器と書かれるバオー
『文庫版 バオー来訪者』30ページより（荒木飛呂
彦／集英社／2000年）

　実在する生物兵器は❶殺傷兵器、❷汚染兵器、❸対動植物兵器、の3
つに大別されます。

　❶と❷は化学兵器とコンセプトは同じ。ただ、炭疽菌に代表される強
毒病原体、ボツリヌストキシン、コブラ毒などは❶殺傷兵器に該当しま
すが、化学兵器よりもはるかに致命的な毒性を有します。

　❷汚染兵器についても、化学兵器より生物兵器のほうが強力。将来的
な復興さえ困難になる被害をもたらす、極悪エリア制圧兵器となります。

国すべてをやっつける？ 対動植物兵器

　そして生物兵器に関して特筆すべきは❸対動植物兵器です。対動植物
兵器は、特定の動植物に対し甚大な被害を及ぼします。「でもたかが動植
物でしょ？　大したことなさそう……」と思うなかれ。実はこれこそ生
物兵器の最も地味ながら、最も凶悪な点なのです。

　たとえばブタ肉の消費が多く、ブタ畜産業が盛んな国家があったとし
ます。ここを相手にしようと思ったら、豚コレラウィルスをばらまくと
いう手法が有効です。治療薬がなく感染力が高い豚コレラが発生すると、
現状、対応策は殺処分して封じ込めることのみ。通常の豚コレラがこう

なので、人為的に感染拡大させようとする生物兵器として運用した場合の影響は計り知れません。生産はズタズタになるのはもちろん、流通や小売という付随業種も致命的打撃を受けるでしょう。当然、一般市民がブタを食べるのは困難になります。緊急輸入しようにも供給とのバランスがありますし、先立つものが必要です。すぐにどうこうできるレベルの話ではありません。

　ほかにも麦やトウモロコシといった穀物を狙う強毒性のカビを使った生物兵器が存在する……とまことしやかに囁かれています。いうまでもなくこれらは主食となることが多いため、生産に支障を来たすともはや国難です。

　といった具合に対動植物兵器は、戦場でうんにゃらかんにゃらという次元を超え、相手国の国力を落とす極めて陰湿ながら効果的なものでもあります。

　「実際に使われたことがある」「いや、そんなのは陰謀論だ!」などと諸説ある対動植物兵器。いろいろ言われるのは証拠が残りにくいという、これまた対動植物兵器のやっかいな特性ゆえです。技術的には可能なものの、これまで使われたことがあるか否かは正直筆者にもわかりません。こうした使われ方をする恐れがある、ヤバい兵器があるという感じで知っておくと良いでしょう。

威力とコストで考える貧者の核兵器論

　生物化学兵器が"貧者の核兵器"と呼ばれることを知っている人も多いのではないでしょうか?　当然ながら生物化学兵器と核兵器はまったくの別物。横に並べて比較するものでもないのですが、参考までに威力とコストから試算を紹介しましょう。

　まずは威力面。核兵器の場合、20メガトン級[5]の水爆一発で落下点

---

5)「トン」と入るので重さと勘違いする人もいるが、ここで使われるメガトンは爆発力を示す単位である。1メガトンはTNT火薬100万トン分の威力があるということ。威力を比較するサリンと炭疽菌で用いるトンは重さなので紛らわしいが誤解しないように。ちなみに日本貨物航空が貨物輸送に使用しているボーイング747-8Fの最大積載量は133トン。メガトンが重さだったら水爆を搭載して飛び立てる飛行機など存在しない。

〈第2図〉核兵器、化学兵器、生物兵器のコスト比較

から半径10km内を完全に焦土に化すとされています。生物化学兵器は爆弾と違い物理破壊を目的としないので、人的被害という面から考察[6]。化学兵器・サリンで20メガトン級水爆と同様の死傷者を出すには10トン程度が必要です（死亡率30%で試算）。これが炭疽菌だと500kg程度とされています（感染率70%で試算）。

　続いてコスト面から見ると、20メガトン級水爆をひとつ開発するには数千億円ものお金が必要です。さらに維持管理にも数十億円がかかってしまいます。一方サリンは、一般的な化学プラントがあれば材料などは半分以上農薬と一緒なので1トンあたりのコストは100万円程度。前述の威力比較で試算した10トンだとしても1,000万円ほどになります。炭疽菌にいたっては製薬会社などが有するバイオプラントさえあればほぼノーコストで製造可能です〈第2図〉。

　言い方は悪いのですが、生物化学兵器のコストパフォーマンスの良さは尋常ではありません。そして、このコスパの良さゆえに貧者の核兵器という異名を取るのです。

使おうにも使えない？　意外な事情

　ここまで読み進めたことで「生物化学兵器とはなんぞや」についてイ

6）人口密度や地形をはじめとするさまざまの条件次第で大きく変わってくるため、繰り返しになるがあくまで参考試算であることをご承知おきいただきたい。

メージがつかめたと思います。で
はここからは「どんな風に使われ
るのか」という運用面について解
説していきましょう。

生物化学兵器はエアロゾル、す
なわちスプレーミストとしてばら
まかれるものが大半。つまり毒霧
が一定時間エリアにとどまり続け

〈第3図〉穏やかな環境で使う極悪兵器

ることが戦果のためには必要です。一方、粒子は非常に軽く、突風が吹
き荒れたり上昇気流が生じていたりすると毒霧が霧消してしまいます。
また熱や紫外線によって無害化されてしまうものも多く、効果的に使用
できる天候が限られているのです〈第3図〉。風が穏やかで空は曇り、
さらに湿度が高い夜、これが生物化学兵器にうってつけの天候。さらに
逆転層[7]であれば毒霧の滞留時間が長くなり、最大の効果が得られる
でしょう。逆に言うと、結構条件面は厳し目だったりするのです。

実はさらに運用するにあたっての難点があります。戦争では、こっち
が使った兵器は相手からも使われるというのが暗黙のルールです[8]。第
二次世界大戦時、ナチスドイツはサリンをはじめとする神経ガスを開発、
さらに改良してソマンという兵器にまで昇華させていました。しかし、
これを使った後、報復に同様の兵器が使用されると対策のしようがない
ので、実戦投入を思いとどまったと言われています。ただ、戦後になっ
て蓋を開けてみたら連合国はこの技術に仰天。速攻で技術接収し、英米
はVXガスを、ソビエトはVRガスさらにはノビチョクと呼ばれる神経剤
を開発することになりました。

今から70年以上前に生み出されたものですらこの通りなので、今の
科学技術で研究開発されたものが実戦投入されたらどうなるか……。想

7）気象用語。大気は一般的に、地表から十数kmまでは空に向かえば向かうほど温度が低くなる。しかし一定の条件下のもと、上空
の気温が高くて地表の気温が低くなることがあり、これを逆転層という。逆転層の場合、上昇気流は発生しにくく、むしろ空気
は地表に向かって緩やかに押し付けられることに。
8）某ブリタニア皇族のルルーシュ氏による「撃っていいのは撃たれる覚悟がある奴だけだ」である。

像するだに恐ろしいものがあります。既存薬物は効くのか？　対症療法は有効なのか？　そもそも何に感染したのか？　未知の生物化学兵器の可能性は無限であり、それだけに対処は事実上不可能。さらに前述の報復合戦へとつながり、毒霧には戦闘員も非戦闘員もありませんから、一般市民を巻き込んだ泥仕合へ陥ってしまいます。規模感は違いますが「撃ったら世界が終わる」として抑止力として作用する核兵器と同じ思考アプローチで、この意味でも"貧者の核兵器"と言えるかもしれません。

トレンドは「使うより使われたら」

　第二次世界大戦後、日本やドイツの生物兵器や化学兵器の研究を接収した連合国各国では、その研究を実質引き継ぐ形で兵器研究が行われます。なかでも有名なのは米メリーランド州のアメリカ陸軍フォートデトリック研究所と英ウィルトシャー州のポートンダウン研究所。いずれも生物化学兵器の専門研究機関として知られています。なお戦勝国である連合国側が善玉かというとそうでもありません。ポートンダウン研究所では1939年から1989年までという長きにわたり生物化学兵器の人体実験が行われており、1953年には死亡事故まで起こっていたのです。しかもこの事実は、1999年に警察による強制捜査の手が及ぶまで隠蔽されていました。

　表沙汰になることはレア中のレアですが、今も多くの国で生物化学兵器の研究が続けられていることは間違いないでしょう。ただし、その関心は攻撃よりも防御に向けられていると思われます。

　「21世紀はテロの時代だ」なんてセリフ、聞いたことがあるんじゃないでしょうか？　そしてテロと生物化学兵器の食い合わせは、残念ながら抜群。前述のコスパの良さもそうですし、戦争でなくテロならば報復への恐怖は抑止力になりません。日本人であれば誰しも地下鉄サリン事件のことを知っていますが、カルト教団が生物化学兵器に強い関心を示していると言われています。ほかにもマフィア組織や民間私兵団が研究

に乗り出しているなんて話もあるほどです。こうした状況下では、カウンターテクノロジーは必須であり、今後も水面下で研究は続けられていくでしょう。

　そうした研究が功を奏したこともあります。ここで登場するのがまたまたポートンダウン研究所。2018年3月、イギリスのソールズベリー

でロシアの元スパイとその娘が意識不明の状態で発見されました。この毒がポートンダウン研究所に持ち込まれた結果、ソ連が第二次世界大戦時に開発したノビチョクだと特定〈写真3〉。ほとんど情報がないはずの未確認神経剤であるとスピーディにつきとめたことは地道な研究の成果と言えるでしょう。

〈写真3〉国会でノビチョクだと断言するメイ英首相(当時)
(https://www.bbc.com/japanese/43381805)

善も悪もなし 使うは人なりけり

　『バイオハザード』シリーズでは、生物兵器T-ウィルスを開発したのは悪の製薬会社アンブレラでした。本講で紹介したとおり企業レベルのプラントがあれば生物化学兵器の製造は十分可能です。またコスト面から貧しい国であっても設備を整えることは問題ありませんし、薬品工場に擬装することだってできてしまうでしょう。そういった意味では、このテーマはすでにフィクションばりのレベルに現実が至っていると言えます。どんな事態が起きても不思議ではありません。

　こうした話に触れると「そんな危ない技術は規制せねば」などと規制厨が声高に主張したりします。しかし技術自体には善悪はありません。むしろ規制すればするほど、開発力が衰え、開発競争にも破れ、結果、対応力が備わらなくなってしまいます。すでにこの国において規制のた

めに負けに負けまくっている分野はいろいろありすぎるほどですが、せめて読者の皆様は広い視野を持ってくださいね。

コラム　人類史初の細菌戦研究部隊
七三一部隊とは何か？

　人類史における細菌戦研究……それは意外にも日本からスタートしている。そして京都帝国大学医学部出身の石井四郎、この人物がキーパーソンだ。大学卒業後、軍医となった石井は数年後、母校の医学部大学院へと派遣。非常に優秀だったため、国費で欧米諸国を2年にかけてわたり、最新の細菌学を学ぶこととなる。

　帰国後、資源に乏しい日本が戦争に勝つには細菌戦研究が欠かせないとして、満州・ハルビンで基礎研究を開始。その研究の優位性が認められ、同地にて満州第七三一部隊が発足する。表向きは浄水や防疫に関する研究を行っているということで、関東軍防疫給水部本部と命名されたが、実態は世界初の人体実験をベースにした細菌戦研究開発部だった。

　七三一部隊は、研究部（兵器利用可能な病原体を研究）、実験部（兵器化で問題になる病原体を死滅させず目的地に落とす方法などを研究）、爆弾製造部、細菌爆弾用の培養部、教育部、材料部、診療部、事務部などで編成される巨大組織。年間研究費は東京帝国大学に匹敵するほどの規模で、人員も終戦直前には3,500人を超えていたという。細菌兵器を用いた数々の人体実験を行い、一部は実験的に実戦投入されたとも言われており、七三一部隊の研究によって死亡した犠牲者は3,000人超。世界最高の死の研究施設だった。

　敗戦後、部隊関係者の一部は侵攻してきたソ連軍の捕虜となりハバロフスク裁判にかけられるも、幹部の多くは日本へ逃げ延びる。GHQ、アメリカ合衆国旧陸軍省は日本軍の細菌戦部隊の情報を知り、喉から手が出るほど欲しかったがなかなか真相にたどり着くことはできなかった。その結果、人体実験を含む研究成果の提供を交換条件に七三一部隊は戦争犯罪者となることを免除されてしまう。

　この七三一部隊の研究はアメリカ軍のキャンプ・デトリックに受け継がれ、現在も本文中でも触れたフォート・デトリック研究所として生物化学兵器の研究が行われている。

　ちなみに石井四郎は1950年頃に東京の新宿区で医院を開業。戦後14年経った1959年、がんを患ったため67歳で死去した。

　余談ながら、1980年代に600人もの死者を出した薬害エイズ事件を引き起こしたミドリ十字は、七三一部隊の残党が発足した会社と、よく話題に出る。

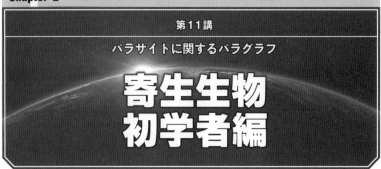

第11講
パラサイトに関するパラグラフ
寄生生物
初学者編

参考作品　**寄生獣**

宇宙より飛来した寄生生物に脳を奪われた人が共食いを開始。
しかしやがて寄生生物たちのあいだで独自のコミュニティが築
かれる。脳の奪取に失敗し、右手で固定された寄生生物ミギー
と宿主・泉新一の共生・共闘を描く。

▶寄生生物を扱う作品群
ラスト・オブ・アス、パラサイト・イヴ、吸血鬼ゴケミドロ

　寄生生物……。すてきな響きですよね。"相手を乗っ取り、操る"とい
うおぞましさ満点の存在。参考作品で挙げた『寄生獣』ド頭の、「ぱふぁ」
→「ファッ」→「あ」→「バツン」の流れは今なお衝撃的です〈写真**1**〉。
　古来より創作物への登場頻度も高く、パニックものなどではお馴染
みの存在。たとえ主役を張らなくても、バイプレーヤーとしてしばし
ば登場します。ただ、その使い勝手の
良さからか、安易な用いられ方をする
ケースも少なくありません。寄生虫の
生態や寄生虫がもたらす感染症につい
て知っているか知っていないか、この
違いは作品の"説得力の違い"に直結し
ます。深く掘り下げるとそれだけで1
冊の本になってしまうので、本講では

〈写真**1**〉冒頭で猛烈なインパクトを与えた寄生獣
『寄生獣』第1巻24ページより（岩明均／講談社／
1990年）

ざっくりとした基礎知識を身につけていきましょう。

超簡単版！ 寄生虫とはなんぞや論

さてそもそも寄生虫とはどんな生き物なのでしょうか？　他の生き物に寄生し増殖するという観点からは、細菌やウイルスだって寄生生物と呼べてしまいます。でも細菌は寄生というより感染で、ウイルスも生物と物質の狭間の存在なため寄生するというとちょっと変な感じがしてしまいますよね。一方、サナダムシやアニサキスやエキノコックスなんかはいかにも寄生虫という印象です。

疫学的にはいずれも病原体の寄生と考え、病原体を大きく２つのグループにわけています。

・病原性微生物
　ウイルス、細菌、リケッチア、スピロヘータ、真菌類

・寄生虫
　原虫、吸虫、条虫、線虫　など

寄生虫は比較的でかいモノが多いのが特徴で、サナダムシやメジナムシなど人間の体内で何メートルにも成長する個体がいるほどです〈写真**2**〉。

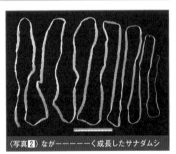

〈写真**2**〉ながーーーーーく成長したサナダムシ

ただし原虫に関してはウイルスよりもサイズが小さいものがほとんど。普通の教科書でお馴染みのゾウリムシやアメーバも原虫の一種なのですが、なかには人類にとって脅威になるものも存在します。その代表格がネグレリア・フォーレリーです〈写真**3**〉。これは暖かい地方の溜池などに生息するアメーバで、普段は細菌などを食べて暮らしています。しかし、ネグレリア・

〈写真**3**〉殺人アメーバーと言われることも

フォーレリーが鼻粘膜などから人間の体内に入ると脳に到達。普段の餌と脳との区別がつかないので、脳細胞をムシャムシャ食べ放題、からのジャンジャン増殖し放題になってしまいます[1]。それでいて、細胞の作りが人類と同じ真核生物のためこのアメーバーだけを退治する手立てがなく、治療には極めて副作用の強い薬を投与しなければなりません。

　ほかにもリューシマニアやマラリア、トリパノソーマなども極小な寄生虫で、治療が困難なのもネグレリア・フォーリーと同様です。ただいずれも病気というイメージで、寄生性原虫感染症と呼ばれます。ここも掘り下げると面白い話はたくさんあるのですが、以下ではいかにも寄生虫なヤツラに絞って紹介していきましょう。

なぜ寄生虫は寄生できるの？　寄生の仕組み

　生き物には本来、異物を排除するシステムが備わっています。しかし寄生虫は異物のくせに宿主にしれっと寄生。これができるのは免疫抑制物質などの、宿主を欺く物質を放出しているからです[2]。

　余談ながら、この免疫抑制物質は自己免疫疾患研究の場において、ブレイクスルーになるのではと注目されています。たとえば東京慈恵会医科大学の嘉糠洋陸教授が行っているのは、成人男性に、人間には長期間寄生できない豚鞭虫の卵を投与することで免疫活動を安定される研究〈写真4〉。鹿糠教授は寄生虫症対策が十分でない発展途上国においてアレルギー疾患患者が少な

〈写真4〉鹿糠教授の研究を伝える報道
出典：時事メディカルより〈https://medical.jiji.com/topics/488?page=1〉

1）日本にもネグレリア・フォーレリーは生息している。国立感染症研究所の病原微生物検出情報によれば、1996年、当時25歳の女性の死亡事例が、国内初のネグレリア・フォーレリー感染確認だった。女性は体調不良を訴えた10日後に死亡。病理解剖をした結果、女性の脳が普通の形を保てないほど柔らかくなってしまっていたという。
2）それでも宿主からの免疫細胞に取り囲まれて殺されることもあり、自然治癒もする。だが、人間は寄生虫症に弱いので、変なものを食べたり妙な場所に行ったりしたあとで、変な病気になったら病院で見てもらうのが最善。

いという点に注目したそうです。クローン病、多発性硬化症、セリアック病などの難病はもちろん、いまや国民病と呼ばれることもある花粉症治療にも応用できる可能性が研究されています。

さいあくないきもの事典：エグエグ寄生虫

　さて、いかにもな寄生生物というと、まずは吸虫、条虫といったウネウネ系の寄生生物。人間や動物の体内に侵入すると臓器の中で成長して、普通に目視可能なサイズ、さらには卒倒しそうなサイズにまで育つケースも結構あります。

　吸虫は肺や肝臓の中であれこれ悪さをするのですが、大きな個体だと大体500円玉くらいのサイズになることも……。そんな吸虫のなかでもとびきり凶悪なのがかつて日本に存在しました。その名も日本住血吸虫です。セルカリアという幼体の状態（約0.3mm）のときに泥の中に潜んでおり皮膚を食い破って体内に入ってくるというハイパーとんでもない寄生虫で、日本では山梨や福岡、広島などの一部地域で生息していました〈写真5〉。この寄生虫が人間に寄生できる形態になるためにミヤイリガイという貝にいったん寄生し、そこで人間や哺乳類に寄生できる体制を整える生態を持っていたのです。

　日本住血吸虫に寄生されると発熱や腹痛・下痢を発症するようになり、重症化すると腹水が異常なほどにたまり、最終的に死に至ります。実はもともとは原因不明の奇病として現地で古くから恐れられていたもので、20世紀になってようやく寄生虫が原因だと判明。またミヤイリガイを介して罹患することがわかりました。結果、ミヤイリガイの一掃作戦が行われ、ついに日本住血吸虫は撲滅されたのです[3]。

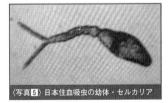

〈写真5〉日本住血吸虫の幼体・セルカリア

3）この撲滅への道のりは、ドラマティックのもの。Wikipediaにも「地方病（日本住血吸虫症）」の項目にて詳細につづられており、下手な小説よりもずっと面白い。日本版Wikipediaの約120万記事のうちわずか89本しかない「秀逸な記事」のひとつに数えられているほど（2019年11月現在）。ぜひ腰をすえて読んでもらいたい。

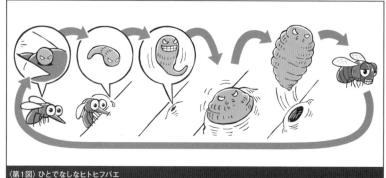

〈第1図〉ひとでなしなヒトヒフバエ

　もうひとつ、とびきりイヤなヤツの話もしておきましょう。寄生対象に卵を植え付け、安全な環境下で幼虫時代を過ごすという非常にわかりやすい寄生虫、ヒフバエです。

　ヒフバエにもさまざまな種類があります。有名なのはヒトヒフバエで、こいつはなかなかの策士。直接卵を人に植え付けることわけではありません。彼らは第1段階として、蚊をはじめとする吸血昆虫の体表面に卵を生みます。昆虫が血を吸うタイミングで人体の熱を感知し卵が孵化、そのまま幼虫は人体に突入。2か月ほど人体内で幼虫ライフを満喫してから皮膚を突き破って外へ出て、成虫になるというなかなかエグいプロセスを踏んでくれます〈第1図〉。

　またラセンウジバエというヒフバエもエグさにおいては引けをとりません〈写真6〉。人体に寄生する生物は多くいますが、寄生した相手を傷つけては自分の住環境を脅かすことになるので、基本的にあまり大きなダメージを与えない範囲で暮らします。しかしラセンウジバエはそんなのお構いなし。体内に入り込むと宿主の健康な細胞であろうとモリモリ食い散らかしてしまいます[4]。

〈写真6〉ラセンウジバエの幼虫

　アメリカではかつて、ラセンウジバエが家畜への被害をもたらす大きな問題になっていました。しかし1950年代

4）ここまで読んで「ほー、実際どんなもんなんじゃろ？」と深掘りしたくなった人もいるだろう。ただその際、安易なネット検索には注意すること。画像検索などしようものならグロ画像のオンパレード……、耐性のない人にはオススメできない。

に不妊虫放飼[5] という害虫駆除の手法が編み出され、やがて根絶されるに至ります。……が近年、フロリダの一部でラセンウジバエの被害が確認されたことが話題になりました。

ウジ系ばかりじゃない? いろいろなパターンの寄生虫

ここまで紹介してきた寄生虫たち、すべてウネウネ系です。吸虫は扁形動物、線虫といった線形動物といい、一生懸命ウネウネします。ハエの幼虫はいわゆるウジ虫なので、こちらも当然ウネウネウネ。ウネウネしている寄生虫はイメージ的にいかにも下等生物って感じです。それが人間などの高等な生き物の体内に入り込み逆支配というのはいかにも寄生という感じがします。しかし全部が全部ウネウネしているというわけでもありません。

〈写真7〉体長2〜3mm程度のチョウ

たとえば、チョウという金魚などの魚に寄生する寄生虫は甲殻亜門、すなわちカニやエビと同じグループです〈写真7〉。他にもイカリムシという、その名の通りの錨のような形状の頭を魚に突き刺し寄生する派手な寄生虫がいます〈写真8〉。これはカイアシ類というミジンコと同じグループです。

〈写真8〉相手にぶっ刺さるイカリムシ

またカニやエビ、フナムシといった節足動物にも魚の体表や口の中、貝の内部に寄生する種類が存在。特徴的なのは同じ節足動物のカニに寄生するフクロムシで、これは分類上は節足動物なのですが節が見られ

---

5) 読み方は「ふにんちゅうほうし」。特定の害虫に対し、人工的に不妊処理をされた同種をばらまくことで、地域の害虫を根絶する。非常に有効な方法だが、不妊処理膨大な個体数を用意する必要があり、成虫には害がない種でなければならない。成虫が農作物を食い散らかすイナゴなどでは、被害が増すだけだ。日本では1970年代から1990年代にかけて沖縄のウリミバエ根絶に不妊放飼法が用いられた。

ないという不思議な形状をしており、その姿はさながら臓器の一部のような感じです〈写真❾〉。ヒトデに寄生するシダムシも見た目はヒトデの血管のよう[6]で、素人が見る限りはヒトデ本体と違う生き物とはまず思わないでしょう。

〈写真❾〉中央部のヌタっとしたのがフクロムシ
©Hans Hillewaert / CC BY-SA 4.0

宿主の行動を規制する……げに恐ろしき寄生虫

　フィクションで寄生虫が登場する際、寄生生物は宿主を安全な住処として扱う一方、宿主をコントロールする様が描かれることがよくあります。これは実際の寄生虫でも見られる行動です。

　カマキリやコオロギの体内に住み、一定期間を経て入水自殺をさせて腹から出てきて、池の中で卵を産むハリガネムシは有名なので知っている方もいるかもしれません〈写真❿〉。

　ほかにもコマユバチというチョウや蛾の幼虫に寄生する蜂も有名です。コマユバチはイモムシの体内で生命維持に必要な最低限の部分以外を食い散らかし、最後に芋虫の体を食い破って外に出てくる剛の者。寄生されているイモムシの方は、コマユバチに十分な栄養を与えるため、つまり自分を食べさせるために一生懸命にご飯を食べ、また外敵に対してはコマユバチを守るために必死で戦います。

〈写真❿〉宿主コントロール型の筆頭選手ハリガネムシ
出典：https://commons.wikimedia.org/wiki/File:Paragordius_tricuspidatus.jpeg

　トリッキーなものとしてはリベイロイアという扁形動物。これは最終的に鳥に寄生する寄生虫なのですが、そこに至るまでのプロセスが超独特です。リベイロイアはまずカタツムリに寄生し、その体内で大繁殖。その後、ウシガエルのオタマジャクシに移動、オタマジャクシがカエルに変態するまで待機し

6）ヒトデに血管はないので、あくまで比喩表現とご理解いただきたい。

ます。しかし何もせずにただ待つのではなく、宿主の細胞にエラーを生じさせ、なんと強制的に奇形を作り出すのです。結果、リベイロイアに寄生されたウシガエルは後ろ足が4本や6本になったり、反対に足が生えていなかったりします。足がなければ当然動けませんし、多い場合でも奇形なのでちゃんと機能するわ

〈写真**11**〉強制的に奇形化させられたカエル
出典：https://www.youtube.com/watch?v=J-bAKh_dYls

けでなく、むしろ邪魔な存在。いずれにしても普通のカエルの動きはできず、鳥に捕食されやすくなります。カエルが食べられることで最終目的の鳥に寄生できるようになるのです。行動をコントロールするのではなく、体そのものを変化させてしまうというのは驚いてしまいますよね。リベイロイアに寄生されたカエルの姿は衝撃的なので、海外の科学解説動画チャンネルでも取り上げられていたりします〈写真**11**〉。

人類を意のままに操る寄生虫は実在するのか？

　といった感じの寄生虫ですが、ではマンガでお見かけするような人類をコントロールするようなヤツは存在しうるのでしょうか？　残念ながら（？）現在、ハリガネムシやコマユバチやリベイロイアのように人類を操る寄生生物は発見されていません。

　あえて挙げるのであればメジナムシは、まず水場のミジンコに潜伏し、水を飲んだ動物の体内に侵入。宿主のもとで大きく育ち、卵を産むタイミングになると水場に戻ろうとします。ただ、「水場に戻ろうとする」と言うのは簡単でも、宿主を思うように動かすのは簡単ではありません。そこで、メジナムシは火傷のような強い痛みを与える物質を発生させま

す。しかもこの物質は、水につけ
ると痛みが嘘のように引くという
特徴も有しているのです。つまり、
宿主が焼かれたような痛みを感
じ、本能的に体を冷やそうと水に
入るとたちまち収まり、このタイ
ミングでメジナムシは皮膚を食い
破って水場へと戻っていきます。

〈第2図〉メジナムシの人間操作術

人間もメジナムシの宿主になることがあるので、この一連の流れは人間
でも起こりえることです〈第2図〉。

　反面、現実世界の寄生虫が人間をコントロールするとなると、たかだ
かこのあたりとも言えます。脳を操って凶暴化させたり、腹を破ってで
かいカニが飛び出したりとかそういうことはありません（笑）。

　これにもきちんと理由があります。すなわち人間が文化を得るスピー
ドが、他の動物の進化のスピードよりも速かったということ。ただささ
がに人類の進化における伸びしろもそう大きくありません。ここから
数万年という年月を人類が自然とともに歩めば、やがて人間をターゲッ
トにした大型寄生虫が登場する可能性はあるでしょう。ただ、人間が自

〈写真**12**〉「寄生獣」の単語が用いられた唯一の場面
『寄生獣』第9巻119ページより（岩明均／講談社
1994年）

然とともに数万年歩めるのかという
と、その前に余裕で自滅している可
能性のほうがなんだか高そうです。
『寄生獣』では登場人物の広川が「人
間どもこそ地球を蝕む寄生虫!!　い
や……寄生獣か！」と喝破されてい
ました〈写真**12**〉。本講で紹介した
ハリガネムシ、コマユバチ、リベイ
ロイアも宿主を死に至らしめます
が、これはあくまでプロセスのなか
でのこと。つまり"その先"があって

のことです。一方、人類はと言えば地球資源を食い散らかしたところで、現時点で移り住むところなどないわけで……。そういった意味では寄生虫さえ失格と言えるかもしれません。

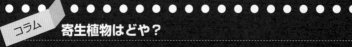

コラム 寄生植物はどや？

　本文では寄生虫についてはいろいろ解説をしてきました。しかし寄生生物はもちろん動物だけではありません。

　寄生植物としてメジャーなのがキノコです。なかでもとりわけ有名なのは冬虫夏草でしょう。冬の間は虫だったのに、夏になるとキノコになってしまう……という生態で、しかもそのキノコが漢方薬として用いられるというインパクト。冬虫夏草はしばしばホラー作品のモチーフにもなってきました。

　ほかにも古くは特撮映画の『マタンゴ』ではキノコ人間が登場し、最近でもゲーム『ラスト・オブ・アス』ではキノコがゾンビの原因になっています。冬虫夏草という実例があり、胞子で増殖する菌類という生態が「キノコが人間に寄生する」というイマジネーションをふくらませるのでしょう。

　「でも人間にキノコが生えるなんてフィクションの話でしょ？」と思う人がいるかもしれませんが、そうとも限りません。世界中に分布するスエヒロタケという非常に強いキノコは、人間の肺にまで菌糸が広がって肺炎に至ったというケースが過去に30例ほど確認されています。とはいえ、あくまで病気の原因となるという話であり、さすがにキノコ人間になるというのは考えられません。都市伝説では「足の角質からキノコが生えてきた！！」なんて話もありますが、これもリアルとは考えにくくフェイクと捉えるべきでしょう。

　ちなみにキノコ由来の病気についても、極端に免疫が低下していなければ感染することはありません。ですから日常において特に心配しなくて大丈夫ですよ。

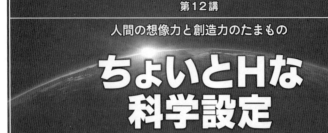

第12講

人間の想像力と創造力のたまもの

ちょいとHな
科学設定

| 参考作品 | **終末のハーレム** |

ジャンル名を近未来エロティックサスペンスと銘打つとおり、エロスに重点を置いた潔き作品。謎のウィルスでごく一部の男性のみが生存する日本が舞台で、「男性消滅。5対50億の超ハーレム!」のキャッチコピーも実に男らしい。

▶お色気を扱う作品群
ToLOVEる、閃乱カグラ、一騎当千、学園黙示録 HIGHSCHOOL OF THE DEAD、

　さてさて、しょっぱなからドンズバドンと言ってしまいますが、今回のテーマはエロスです。ご承知のことと思いますが、わが国のエロス表現に関する執着、執念には筆舌に尽くしがたいものがあります。

　いわゆる18禁モノとカテゴライズされるものはもちろん、普通の青年誌や少年誌にさえお色気担当が枠として用意されているほど。世情のせいか、一般誌におけるお色気描写は抑えめになりつつありますが、かつてはかなり過激な表現が許容されていました。週刊少年ジャンプにすら1980年代には『BASTARD!!』や『電影少女』が連載されていたわけですから〈写真**1**〉。

〈写真**4**〉山口県で有害図書指定された3巻

とにもかくにもフィクションとエロスは切っても切り離せない関係性を構築していると言えるでしょう。

また最新技術とエロスの相性の良さも有名な話です。ビデオデッキもDVDもインターネットも、爆発的普及の裏には常にアダルトコンテンツがあったことはコモンセンスになっています。

セクサロイドのサクセスロード！　実用化の日は近い？

近年、ことあるごとに主張されるのが"若者の○○離れ"です。「それ、まともな収入がないからじゃね？」と思うものも多く含まれますが、それはそれとして、"若者の恋愛離れ"もよく見かけます。で、そういったときにほぼセットで登場するのが「アダルトコンテンツが充実しすぎているので、実際の恋愛が面倒になる」という理由づけ。なんかこれも首をかしげちゃいますが、本書のテーマではありません。

ということでまずは"充実しすぎなアダルトコンテンツ"の極地として、セクサロイドについて考察していきましょう。第１講「アンドロイドとサイボーグ」でも少し触れましたが、セクサロイドとは"人間同様の性的機能を備えたアンドロイド"のことです[1]。『攻殻機動隊』シリーズでもしばしば登場し、映画『イノセンス』ではセクサロイドの暴走が描かれますし、テレビアニメの『攻殻機動隊 STAND ALONE

COMPLEX』シリーズにおいてもセクサロイドに関する言及が見られます[2]〈写真２〉。そしてセクサロイドに関しては今まさに、フィクションからリアルへと着実に歩みを進めている段階です。

現在、ロボット開発で抜きん出てい

〈写真２〉暴走したセクサロイド・ハダリ
『イノセンス』より

©2004 士郎正宗/講談社・IG, ITNDDTD

1）セクサロイドは松本零士によるマンガ作品『セクサロイド』が初出とされる。それが日本国内では一般名詞化。ちなみに英語ではSexbotというひねりゼロな用語が使われている。

2）ちなみに、シリーズ原点となるマンガ『攻殻機動隊』では、素子さんの絡みシーンもしばしば描かれている。

〈写真**3**〉 2018年にリリースされたRealDoll X Premiere
RealDollYou Tube公式チャンネルより
(https://www.youtube.com/watch?v=K2YJhYNp-
G8&feature=emb_logo)

〈写真**4**〉メカメカしいボディ同様、動きも機械的
出典：https://twitter.com/RoboticsDs/
status/1039470332967567360?

るのはアメリカと中国の二大大国。そして両国から、AI搭載のラブドールがリリースされています。アメリカのAbyss Creations社はRealDollというブランドを展開〈写真**3**〉。オーナーのパートナーとしてコミュニケーションを取れることを謳っています。中国に本拠を構えるDS Doll Robotics社もDS Dollというブランドを立ち上げており、その公式サイトには「人工知能ロボットガールフレンドの経験は、ホットな女の子とデートするのと同じくらい現実的」との記述があるほどです。

　ただ、Real DollもDS Dollも頭部のみで、胴体部分は既存のラブドールにドッキングさせるスタイル。いわゆるセクサロイドのイメージからはかけ離れています。ではボディ部分のロボティクスはどうなんだ……というと、これまた遠からず実現できそうな気配です。このあたりは普通のアンドロイドと技術面では重複するため詳細は第1講に譲りますが、ボストン・ダイナミクス社のロボの姿勢制御技術は相当に高度なもの。また前述のDS Doll Robotics社はセクサロイド特化の会社ではなく、さまざまなロボットを開発しており、同社のTwitterでは実物の動画をアップしています。それらは、かなり人間っぽい挙動をしているものの、機械っぽさは拭いきれません〈写真**4**〉。

　DS Dollはじめ、現在のロボットはまだほとんどが工作機械などに用いられるサーボモーターを採用。そのため、動きがどうしても機械的になってしまいます。しかし、医療分野において人工筋肉の研究が進んでおり、注目されているのが誘電エラストマー人工筋肉です。これは通常状態は柔らかいムニムニした素材ながら、電気を流すと収縮するという性質を有しています。義手などに応用できないかと研究が進んでいるのですが、これが実用化されればサーボモーターのボディに巻きつけるように設置することで、アンドロイドをより人間らしく動かせるようになるでしょう。

　またよく言われるのが、「ロボットには痛みがないので力加減がわからない」というもの。言っても機械仕掛けの存在なわけで、そんなのを相手にコトを致していたらなにがどうなるかわかったもんじゃない……ということです（笑）。ただ、センサー技術の向上も著しく、今や蚊が止まった程度も検知できる薄型センサーも登場しました。これを応用させれば微細な力加減も実現するでしょう。安心して夜を営めますね[3]。

セクサロイドの尊厳を保てるか？ 遠からず突きつけられる命題

　ここまで紹介してきたように、セクサロイドは技術的にはすでに実現を射程に捉えています。自分の理想像を相手にしながら、好き放題できるセクサロイドには、大きな需要……すなわち市場があることに間違いありません。最初は超高価格からスタートするでしょうが、それはあらゆるものに共通することです。需要に支えられて生産ラインが確立＆拡大すればまたたく間に廉価化、そして高度化するでしょう[4]。スマホだって当初は「なんか変なの出てきた……」「すぐ廃れるっしょ」くらいの印象だったのが、いまや9割型がスマホユーザーです。

3）ただ、本文中で触れたように『イノセンス』の物語のスタートは、セクサロイドが暴走してオーナーをブチ殺しまくる事件の多発である。ちなみに遺族は、家族がセクサロイドを愛玩していたことを隠蔽するため、ロボットメーカーとマッハで示談していた。なんかいずれ本当に起こりそうな感じ。

4）たとえば50インチのハイビジョンテレビでは、2019年現在海外メーカーの激安品なら4万円程度で売られているが、2003年発売のPanasonic製TH-50PX20のメーカー希望小売価格は110万円だった。

　ということで、セクサロイドの登場はもはや時間の問題、必然と言っても過言ではありません。そして、そんな時代の到来は、人類に新たなる課題を突きつけるでしょう。すなわち、セクサロイドたちにわれわれは優しくできるのかという問題です。人と人との性交渉は、当然ながらお互いのコミュニケーションにのっとって行われます。一方セクサロイドは、ある種、欲望のはけ口という面があることは否定できません。人間と瓜二つなセクサロイドをどのように扱うことになるのか、一抹の不安があります。

　2017年、オーストリアで開催されたアルス・エレクトロニカフェスティバル[5]　にてサマンサというセクサロイドが展示されました。しかし来場者の多くが彼女を乱暴に扱い、最終的に壊してしまったのです。これは、サマンサが"モノ"だったから起きたことと言えるでしょう[6]。

　この問題はSFアニメ『イヴの時間』のテーマでもあり、同作では"人とは"という問題をアンドロイドが度々問いかけています。

欲望直結！　服は溶かしたいが女体が溶けては困っちゃう

　近未来に目を向けていたら、めちゃくちゃ堅苦しい話になってしまったので、ここからはガラッと雰囲気を変えてお気軽な話をしていきましょう。

　ファンタジー世界のお色気描写に、囚われた姫や女騎士などがスライムをけしかけられ、服が溶けてしまう……という素敵なお約束展開があります。「服が溶けるなら、人だって溶けるんじゃあ」なんて思ってしまいますが、それじゃ困りますよね？　本講冒頭で触れたかつての週刊少年ジャンプで連載されていた『BASTARD!!』でも、さらわれたヨーコさんが鼻の下をのばしたニンジャマスター・ガラにやられていまし

5）オーストリアのリンツで開催される、メディアアートの世界的イベント。芸術、文化、先端技術の祭典として知られ、同イベントで授与されるアルス・エレクトロニカ賞は"コンピューター界のオスカー"と称される。坂本龍一も1997年に同賞のインタラクティブアート部門を受賞した。

6）ちなみにラブドール愛好家たちは、自身の有するラブドールをさながら自分の恋人のように大切に扱うことが多いことでも知られている。少し古い本になるが高月靖『南極1号伝説』にそのあたりの詳細が記されている。ただ、あくまでマニアの極地としての話なので、セクサロイドが広く一般に普及するとどうなるか……はやはり考えるべき課題であろう。

〈写真**5**〉在りし日の少年を悶々させた名シーン『BASTARD!!』第1巻198ページより（萩原一至／集英社／1988年）

た〈写真**5**〉。ということで科学の力でファンタジー世界に救いの手を差し伸べましょう。

　服は布で作られ、布は繊維で作られるものです。繊維にも自然由来のものもあれば人工物もあります。まず、ナイロンやポリエチレン、ポリアセタール、PETなどのいわゆる化学繊維の多くはプラスチック製なので、特定の溶剤で溶かすことは可能。マンガのように見る見る服が溶けていく……とするには一苦労がありそうですが、非極性溶媒で比較的無害で体に吸収されにくい液体なら人工繊維の服だけを溶かすのはさほど難しくはありません。

　しかしファンタジー世界の服がナイロン製というのもなんかちょっと違和感がありますよね。ということで天然繊維を溶かす術も探っていきたいと思います。ここで溶かすターゲットは綿布です！　綿を科学的に分析すると、その主成分はセルロース。実はセルロースは紙の主要成分でもあります。紙って水に溶けるイメージがある人もいるかもしれませんが、普通の紙はふやけるだけです。トイレットペーパーだって水に溶けているのではなく、簡単にかつ非常に細かくほぐれているだけ。

　「細かくほぐれれば溶けるのと同じじゃね？」との声が聞こえてきそうです。しかし綿布を細断するには、強酸や強塩基をぶっかけなくてはなりません。当然、服の下の姫や騎士まで分解してしまいます[7]。

　綿布だけを溶かす手段……これにうってつけと思われるのが"セルロースだけを溶解するイオン液体"です。こいつが近年、高分子業界で話題になっています。イオン液体とは、常温状態で液体であるイオン性

7）ちなみになんでも溶かす酸としては、硫酸に過酸化水素を加えた過硫酸（通称、ピラニア酸）や、トリフルオロメタンスルホン酸（通称、マジック酸）などの超酸がある。もちろんコイツらも女体を融解させてしまう。

化合物のことで、塩（イオン結晶）なんだけど常温で溶媒なしに液体
……という感じの物体です[8]。

で、イオン液体の中には常温でもセルロースを溶かすものがあり、こ
いつであれば着衣のみを溶かせます！　イオン液体でできていると考え
れば、官能スライムは理論的に存在可能です[9]。やりました！

ムラムラモンモン……その気になっちゃうイ・ケ・ナ・イ薬

最後にこれまたファンタジー世界で、気高い姫や誇り高い女騎士、高
慢ちきなエルフなどに用いられる催淫剤についても考えておきましょ
う。吸っただけで「もう辛抱たまらんワイ！　ムッハー！」なんてモジ
モジムラムラしちゃうガスなんてものは存在しうるのでしょうか？

まず先に悲しい現実のお話をしてしまうと、ちまたには“フェロモン
香水”などと銘打ち、「異性が寄ってくる」ことを謳った商品がいろいろ
存在。確かに男性の汗や尿や精液に含まれるアンドロスタディエノン、
女性の膣分泌液や尿に含まれるエストラテトラエノールは性フェロモン
と言われており、それらに脳が反応することは知られています。しかし
性フェロモンが性衝動とつながるというエビデンスは皆無で、はっきり
言って“効果はない”と断じてしまったOKなレベルです[10]。

ただ、男性は排卵期の女性に惹きつけられることが経験的に知られて
います。この経験則に大真面目に取り組んだのがニューメキシコ大学の
ジョフリー・ミラー教授らの研究チーム。この研究では、ストリップダ
ンサーの排卵周期ともらえるチップの金額との相関関係を調査しまし
た。その結果、排卵日に最も多いチップをもらう一方、生理中は少なく
なる傾向があることが判明。また、低用量ピルを服用するダンサーと服

8） おなじみの食塩はNa+とCl-の2つが結晶化したイオン化合物。しかし常温下では食塩そのものは固体で、水に溶かすことでイオン化が可能になる。
9） フィクションで設定化する際には「特殊なセルロースだけを溶かすイオン液体と無極性溶媒のコロイド混合物」などとすると良いだろう。誰かニンジャマスター・ガラに伝えておいて！
10） 動物であれば、鋤鼻器（じょびき）ともヤコブソン器官とも呼ばれるフェロモン受容専用の器官があり、猫や犬が匂いを嗅いだ後笑っているような顔（フレーメン）をすることが知られている。この器官が人間では退化しており、性衝動との関連性はないだろうというのが定説。

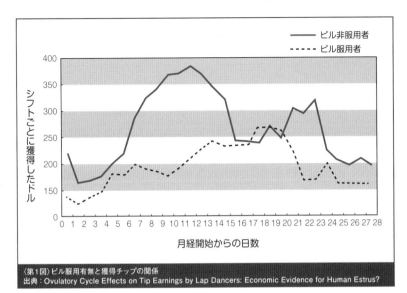

〈第1図〉ピル服用有無と獲得チップの関係
出典：Ovulatory Cycle Effects on Tip Earnings by Lap Dancers: Economic Evidence for Human Estrus?

用しないダンサーでは、後者のほうが多くもらえる傾向があったとされています〈第1図〉。つまり、男性は自分の子孫を残す可能性がある異性に自然と吸い寄せられているということ。なお、この研究は、2008年のイグノーベル賞経済学賞を受賞しました[11]。ただ、こちらも"傾向がある"レベルの話なので、性衝動を操るとまではいきません。

「じゃあ、その気にさせるフェロモンガスなんてものは存在しないんだ……」とがっかりしたアナタ。大丈夫ですよ！　人間の精神をコントロールすることなど超簡単……ただし、非合法も厭わなければですが。

芸能人が定期的に使用や所持で逮捕されることでおなじみで、ラブドラッグ、セックスドラッグなどと呼ばれるMDMA〈第2図〉。これは、MDMAに

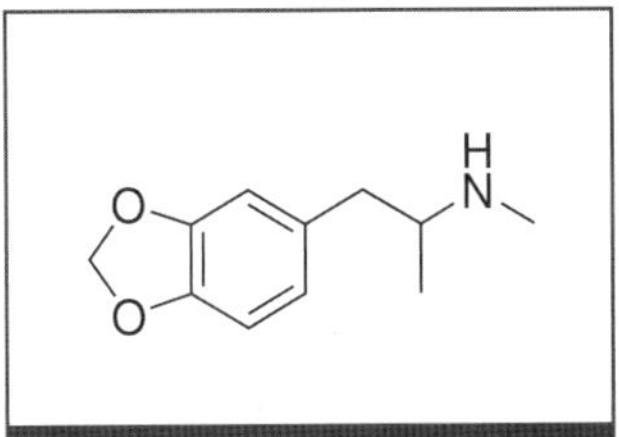

〈第2図〉MDMAの構造式

11）イグノーベル賞は、"人を笑わせ、そして考えさせる研究"に与えられるノーベル賞のパロディで、ハーバード大学で授賞式が行われる（ちなみに渡航費・滞在費は全額自腹）。日本人の受賞率が高いことで知られ、2007年から2019年にかけて13年連続で受賞した。たとえば北里大学・馬渕清資教授らによる「床に置かれたバナナの皮を人間が踏んだときの摩擦係数を計測した研究」は2014年物理学賞を受賞した。

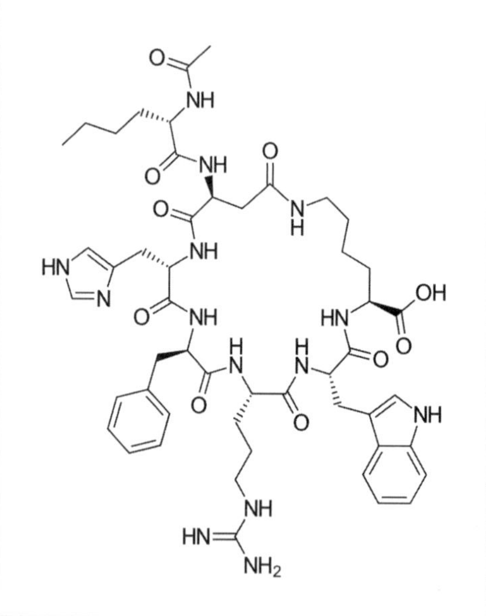

〈第3図〉PT141の構造式

含まれる成分が、まだ人類が特定していない恋愛時に分泌される脳内物質に近いからではないか、と推論されています。事実、MDMA服用者は共感覚[12] を獲得するとともに性的な認知の歪みが顕著になることで有名です。ドラッグ系は、揮発性成分にも改良しやすいので、催淫ガスを生成することも十分に可能でしょう[13]。

　ほかにもPT141と呼ばれる低分子ペプチドは、性的に興奮しているときに女性の体内で作られることがわかっており、女性用バイアグラ的な医療目的で研究が進められていました〈第3図〉。当初、点鼻薬として開発されていましたが、副作用により2007年に頓挫。その後、注射薬として開発がリスタートされ、2019年米国FDAに認可されるに至ります。

　以上のように、薬学的アプローチで異性の性的欲求を高めることは十分に可能です。ただ、繰り返しになりますが、実行するとさまざまな法に触れまくります。筆者のモットーは"法には触れない"なので、やはりエロスな設定は、想像の産物たるフィクションの世界で楽しむが吉でしょう。

---

12) 音を聞いたとき、黒い文字を読んだとき、痛みを覚えたとき、などに色が見える感覚のこと。MDMAをはじめとする幻覚剤服用時の作用のほか、先天的に共感覚を有する人もいる。
13) ただし、繰り返しになるが、当然ながら違法行為。MDMAを製造すると「麻薬及び向精神薬取締法」によって罰せられる。ダメ、絶対！

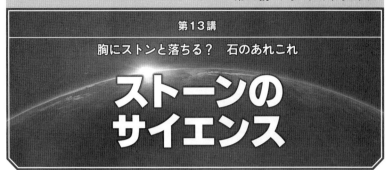

第13講

胸にストンと落ちる？　石のあれこれ

ストーンの
サイエンス

参考作品　**ふしぎの海のナディア**

『海底2万マイル』をモチーフにしたオリジナルアニメ。監督を庵野秀明氏が、キャラクターデザインを貞本義行氏が務めた。主人公のナディアが有するブルーウォーターという宝石が、作中におけるキーアイテムになっている。

▶ストーンを扱う作品群
天空の城ラピュタ、ジュエルペットシリーズ、ドラゴンクエスト 勇者アベル伝説

　石とか大半の人が興味の範疇外、石ころに興味を持つとか相当なマニアな話かと思うことでしょう。でもそれが宝石のとなると目の色が変わってくるわけですからなんとも不思議な話です。

　今回はそんな石のアレコレをお伝えしていきましょう。特殊な能力をもった石から、ダイアモンド[1] 以上の堅さの宝石までいろいろな話題が尽きませんよー。なお、パワーストーンがどうたらーみたいなスピリチュアルな要素は一切含まれません。

宝石の定義……実はない！　人が宝と思えばそれが宝石

　さて、そもそも"宝石" ってなんだかわかりますか？　ピカピカの綺麗な石？　それとも貴重な石？

1）一般的にはダイヤモンドと表記されることが多いが、正確な英語発音としてはダイアモンド。

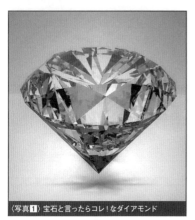

〈写真**1**〉宝石と言ったらコレ！なダイアモンド

実はこれといった定義はなく、化学的には「コレは宝石、これは岩石」といった区別はありません。そこら辺に落ちてるチャートや蛇紋岩だって丸く綺麗に整形すればけっこう美しい見栄えの石になります。ただ、誰でも手に入るということで希少性が無い。ゆえに宝ではない、すなわち宝石ではないというだけの話です。

地球上には約4000種類もの鉱石が存在すると言われており、そのうち200〜300種類がいわゆるパワーストーンなんぞとして市場経済上に乗っています。そのうち、ダイアモンドをはじめとする宝石と呼ばれるのはたった20種類程度〈写真**1**〉。

ちまたでは、ダイア、アレキサンドライト、サファイア、ルビー、キャッツアイ、エメラルド、ヒスイ、オパール、トパーズ、真珠の10種類を世界十大宝石と言ったりします[2][3]。真珠はご存知の通り、貝のなかにできるもので主成分はカルシウム。当然鉱石ではありません。また3月の誕生石に設定されることもあるコーラル……すなわち珊瑚はものの見

〈写真**2**〉分類上は刺胞動物門となるサンゴ

事に動物です〈写真**2**〉。ここからも宝石というものがいかに曖昧かがわかりますね。要するに希少で財産性がある堅いものを宝石と呼ぶわけです。

また、宝石が宝石であるには「希少」であるというのが大前提

2）まぁこの「世界○大△△」系は超適当と理解すべし。宝石については世界三大宝石を「ダイア、エメラルド、パール」とするものもあれば「ルビー、サファイヤ、エメラルド」とするものもある。言ったもん勝ちみたいな感じ。なお、旧約聖書ではカーネリアン、トパーズ、アメジスト、ペリドット、めのう、ジャスパー、ラピスラズリ、ガーネットを九大宝石と称している。ここにダイアモンドは入っていない。
3）ルビーとサファイアは同じ酸化アルミニウムの結晶であるコランダムにクロムが混ざってるかチタンが混ざるかで色が変わるだけなので化学組成は同じ。

ですが、装飾品として使われることで人類と歩んできたわけですから
"美しい"ことも大前提となります。と同時に、丈夫であるというのもと
ても重要。どれだけ美しい結晶であっても、水や油に溶けてしまう石で
はいかんのです[4]。

　また丈夫という観点からは、硬さも非常に重要。石の硬さを示す指針
に「モース硬度」というのがあります[5]。

モース硬度

１：チョーク程度の堅さ。黒板に字がかける程度の脆さ

２：人間の爪でキズが付けれる。爪の硬度はギリギリ２と覚えておく
　　といい

３：金属でこすると容易に削れる

４：カッターで削れる程度。代表的なのが蛍石。綺麗な石であるがこ
　　の硬度のため宝石にはならない

５：ナイフで強くけずろうとするとかろうじてキズが付くレベル。宝
　　石としてはギリギリ

６：カッターやナイフの歯が立たない。宝石としては傷つきやすいと
　　されるヒスイがこのあたり

７：水晶の堅さ。ナイフにこすりつけるとナイフの方にキズがつく。
　　合格といえる強さ

８：紙やすりで傷つかない硬さ。紙やすりにはモース硬度7.5のガー
　　ネットが用いられており、これで傷つく宝石は価値が低いものが
　　多い。宝石としてはトパーズがあたる

９：トパーズに傷をつけられる堅さ。ルビー・サファイアがこれにあ
　　たり、故に鋼玉と呼ばれる

10：つい最近までこれ以上の堅さはなかったダイアモンドの硬度。ほ
　　ぼすべての宝石を削れる石としても王者の風格を有する

4）「石が溶ける？」と疑問を持つかもしれないが、ウラン鉱石などは実際に水に溶ける。
5）モース硬度は宝石関係だけでなく、地学においても用いられる。宝石業界と地学界では扱いが少々違い、地学ジャンルにおいて
　は修正モース硬度やヌープ硬度が使われることが多い。だが本講においてはとっつきやすさ優先で宝石業界で基本の「モース硬度」
　で話を進める。

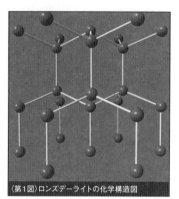

〈第1図〉ロンズデーライトの化学構造図

モース硬度はもともとダイア以上に硬いものはないという前提で10段階に分けたものです。しかし、最近構造が判明した特殊なダイアモンドがあります。特殊なダイアモンドって時点でなんか意味不明ですが、ロンズデーライトというもので、構造が普通のダイアモンドと異なるのです〈第1図〉。このロンズデーライト、ダイアモンドの上を行く強度を誇り、モース硬度に直すと15に相当すると言われています[6]。

さらに、窒化ホウ素の中でもウルツアイトボロンニトライトと呼ばれる鉱物は、なんとロンズデーライトをも上回る硬さであることがわかりました。ダイア最強伝説はもはや過去のものなのです。

ついでにダイアは、掘削技術向上のおかげでかなり大量に存在することが判明。希少性という価値も実はもはや過去のものなのですが、ダイアの価値が暴落すると困るという大人の事情[7]から世界的なカルテルが結ばれ、価格が高止まりしています（笑）。

宝石の色もいろいろ効果もいろいろ

宝石の特徴的な性質、それが色です。多くの宝石が独特の色をしているのは、そこを通って出てくる光の色が変わっているということを意味します。一言で簡単に説明していますが、これは実はすごいことで全然ばらばらの光を一定の波長に変換して排出しているわけです。これを利

---

6) ロンズデーライトが発見されたのは1967年と結構前。ちなみにマンガ『キン肉マン』に登場する悪魔将軍は1984年当時、「超人硬度10、ダイヤモンドパワー」を自慢していた。その後、2017年4月、ダイヤモンドパワーを超えるものとして「超人硬度10#、ロンズデーライトパワー」を獲得。当時、ロンズデーライトのWeb検索数が急上昇したという逸話がある。

7) たとえばロシアは世界最大のダイアの埋蔵量を誇るダイア大国。かつてロシアがまだソ連だった1970年代、超大規模なダイヤ鉱山が発見された……ものの最近になるまでその存在は機密事項とされていた。これも大人の事情。また2018年にはマサチューセッツ工科大学、ハーバード大学、カリフォルニア大学バークレー校の合同研究チームが、地球の地下に膨大なダイアモンドがある可能性を発表。これまで考えられてきたダイアモンドの総質量の1000倍近くが埋蔵されているとするが、深さ145～241キロメートルという深さにあるため今の掘削技術では掘り出せない。駄目じゃん。

用してレーザーのコアにルビーなどが使われます〈写真❸〉。

超メジャーなシューティングチームの『グラディウス』ではボス敵のコアがクリスタルっぽいものでできており、そこからエネルギービームを発射しています。そして弱点もそのクリスタル。破壊すると内部で処理できないエネルギーが暴走し、

〈写真❸〉ルビーレーザーの例

ぶっ壊れると科学的に解釈することが可能です。

平和的な話ではアレキサンドライトは紫外線を吸収するため、合成アレキサンドライトを板状にしてスペースシャトルなどの窓に使われます。『モンハン』の灰水晶もそういった用途かもしれません。

またこの灰水晶に非常に近そうなものとして、名前的にもよく似た煙水晶なる鉱石が存在します。モノは『モンハン』のビジュアルに近い灰色から漆黒のものまでさまざま〈写真❹〉。放射線によって水晶が焼けたもので、可視光線をうまいこと減らしてくれる色合いと透明度をもちます。かつてはこの煙水晶を板状に削り、それをサングラスにしていたこともあります。煙水晶サングラス、かの昭和天皇の愛用品だったそうです。

〈写真❹〉にぶく輝く煙水晶

創作でありがちな効果付与石の科学考察

ファンタジー世界ではさまざまな鉱物がアイテムとして使われています。たとえば『ファイナルファンタジー』シリーズの世界であれば、ク

リスタルはストーリー上、非常に重要な存在〈写真**5**〉。また、セーブポイントとしてもおなじみです。

　一方、現実社会でも、宝石はわりといろいろ実用的に使われています。クリスタルにかぶせるわけではありませんが、水晶はその代表格。パソコンをはじめとする電子機器には水晶振動子というチップが搭載されています。中には透明な板が入っているのですが、これは完璧に透明な水晶の結晶であり、結晶を2つの電極で挟み込むことによって固有の周波数を作り出すのです。ちなみに完全

〈写真**5**〉DSリメイク版『FFIV』のオープニング
©2007 SQUARE ENIX CO.,LTD ALL Rights Reserved.

〈写真**6**〉しっかり仕事をしている時計のルビー

に不純物がない水晶でなければならないため、天然水晶から切り出す困難さから人工水晶が使われています。

　他にも手巻き時計の機械部に宝石（ルビー）が埋まっているのを見たことがある人もいるかもしれません。時計には宝飾品の側面もあり、文字盤やバンドなどにこれでもかと宝石をあしらった高級腕時計も数多く存在します。しかし機械部に用いられているルビーは見た目のためでなく、超実用的な目的です。正確な時を刻むために時計には超精密な機械仕掛けが備わっています。その多くは金属製ですが、金属は"摩耗しやすい"のが弱点。そこで特に動きが激しい動作を受ける部分にモース硬度の高いルビーを埋め込んで耐久性を挙げているのです〈写真**6**〉。

　先にも触れた『モンハン』では、鋼石などの鉱石が強度が必要そうな装備の素材となっていることが少なくありません。おそらく、時計同様に激しい動きを受ける要所要所に鉱石が用いられているのでしょう。

　また、ゲームではケガを癒やす石などが存在します。代表例として『ドラクエ』シリーズの"けんじゃのいし"はノーリスクで仲間のHPを回復

してくれるアイテムです。現実に目を転じたとき、そんなものはありうるのでしょうか？　　無理やりこじつければ、ヒ素系化合物は防腐効果が高いため傷の腐敗を妨げたりはできそうです。ヒ素といえばもちろん猛毒ですが、細菌に対しても毒性があるので防腐効果があります。そしてヒ素を含む鉱物は多く、中には宝石的な輝きを持つものも。例えばヒ素化合物であるエメラルドグリーン[8]は、室内装飾やドレスの着色などに使われていた歴史があります。エメラルドグリーンで染められたドレスは、洗わずとも匂わない染料として人気でした。匂わないのはヒ素の毒性で雑菌の繁殖が抑えられるからであり、もちろん人体にも悪影響を及ぼすため、現在は使用されません[9]。総合的に考えると"けんじゃのいし＝ヒ素化合物"説も厳しそうです。

石を読めばロケ地がわかる？

　ここまではキャラの立った石について紹介してきましたが、おしまいにそのへんに転がっている石ころについても少し触れておきましょう。

　われわれの周りの石は、地質帯によって実は全然異なります。たとえば、関西地方、関東、日本海側といったザックリとした区分けであれば、川の石の様子で特定可能です。もっと言えば地面を見ると砂の構成成分の違いから地域を判別できてしまいます。たとえば関西は真砂土という石英の多い土壌で石英を多く含む花崗岩が風化し砂となったものが土壌の構成成分となっているので白っぽいのです。特に京都は顕著に白い土壌が広がっています。一方、関東は赤黒い関東ロームが特徴的でしかも石も玄武岩が大半というのが特徴。ドラマのロケ地として河原や採石場が使われることがままありますが、石の色あいを見るだけで、どこらへんで撮影されたかをこっそり知ることができたりします（笑）。

8）亜ヒ酸銅の複塩。花緑青、パリスグリーンなどと呼ばれることもある。
9）なお、毒性を知らずに物を使うというのは科学の歴史あるある。アスベストなんかは超メジャーだが、たとえば江戸時代に使われていた"おしろい"は鉛白と言われ、その名の通り鉛の化合物（酸化鉛）。毒性が低かったとはいえ、付けることの多かった女性に中毒が多く見られたそう。

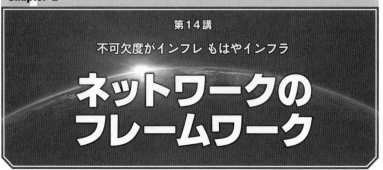

第14講
不可欠度がインフレ もはやインフラ

ネットワークの
フレームワーク

参考作品　**アクセル・ワールド**

2046年の日本。仮想ネットワークで大半のことが済ませられる一方、リアル世界はリアル世界としてありつづける。リアル世界ではいじめられっ子のハルユキは、あるときネットワーク世界における大きな力を与えられ……。

▶ネットワークを扱う作品群
hackシリーズ、シュガー・ラッシュ、RD 潜脳調査室、アヴァロン、東のエデン

　水道や電気などと同様に、社会インフラとなったインターネット。ふりかえってみると、個人レベルにネット環境が普及しはじめたのは1990年代後半と、たった30年ほど前のことです。家庭では電話回線を利用したダイアルアップ接続から、常時接続で高速回線なブロードバンドが当たり前。さらに個人が持つ携帯でインターネットを使えるようにした世界初のiモードがサービス開始されたのが1999年2月でした。当初はあくまでPCでのネットよりも限定的なものでしたが、今やスマホでのネット利用がPCを上回っています[1]。読者の皆さんのなかでもLINE、Twitter、InstagramなどのSNSサービスをいっさい使わないという人のほうが少数派でしょう。最近では学校の連絡網でSNSが使われることがあるくらいです。SNS、すなわちソーシャルネットワーキングサービスですから、ネットが大前提となっています。

[1] 2018年に総務省が発表した通信利用動向調査で「インターネットを利用する機器」において、初めてスマホがPCを上回った。

現代を舞台にする作品は、現実をベースに物語が紡がれるもの。当然ながら、創作の世界でもSNSを避けて通れず、ストーリーと深くかかわって描かれるようになりました。一例を挙げると筆者お気に入りのマンガ『ここは今から倫理です。』でも、SNSがテーマになることが多いです〈写真**1**〉。

〈写真**1**〉クラスグループ退会する女子生徒
『ここは今から倫理です。』第3巻160ページより
（雨瀬シオリ／集英社／2019年）

で、ネットの仕組みはどうなってんネット

あまりに当たり前になりすぎると、「そもそもネットってなんだっけ？」という疑問すら浮かばなくなってしまいます。特にスマホという無線デバイスだとその傾向は強くなるでしょう。その結果、フィクションの世界で未開のジャングルで生配信したり、無人島でGoogle Mapを開いたり……と

〈第1図〉ネットの仕組みとしてアリエナイ

いったトンチキな描写がされかねません〈第1図〉。設定上の理由があれば、そうした描写も別に構わないのですが、日常的に触れるものだけに違和感を抱かれる危険が高くなるわけです。

本講ではネット描写のセーフティネットとして、ネットワークの超基礎を解説していきたいと思います。

スマホからインターネットまでのデータの旅

身近なものから入った方が理解が進むでしょうから、まずはスマホの

波長	周波数	呼び名	特性・用途
1 km	300 kHz	長波	船舶通信
100 m	3 MHz	中波	AM ラジオ放送
10 m	30 MHz	短波 超短波	FM ラジオ放送（アナログ TV 放送）
1 m	300 MHz	極超短波 ┐ 電波	地上デジタル放送
10 cm	3 GHz	マイクロ波	衛生放送・電子レンジ・携帯電話
1 cm	30 GHz	ミリ波	レーダー
1 mm	300 GHz	サブミリ波 ┘	電波天文学
10 μm	3 THz	遠赤外	ヒーター
1 μm	30 THz	中間赤外 ┐ 赤外線 近赤外	サーモグラフィ 赤外線リモコン
700 nm	400 THz	赤 緑 ┐ 可視光	
360 nm	800 THz	青紫	
100 nm	3×10^{15} Hz	近紫外 ┐ 紫外線 衛生紫外	日焼け・殺菌・半導体製造
10 nm	3×10^{16} Hz	X 線 ┐ 放射線	レントゲン写真
10 pm	3×10^{19} Hz ～	ガンマ線 ┘	PET 診断 Fermi 衛星は 2×10^{24} Hz 以上を観測

OISTER

すざく衛星

〈第2図〉電磁波の波長と名称

電波について知っておきましょう。

　電波とは電磁波の一種類です。電磁波……と聞くと謎な感じを受ける人もいるかもしれません。超カンタンに言い換えると、電磁波とは光のこと。電磁波のうち人間が光として認識できるのは400 ～ 800nmという波の大きさの範囲内のもの、虹が出ているとき紫、青、緑、緑、黄、橙、赤と見えるものに限られます。400nmより波の小さい電磁波が紫外線、X線、ガンマ線で、800nmより大きな電磁波は赤外線、電波です〈第2図〉。

　そんな電磁波には"距離の2乗に比例して減衰"する性質があります。わかりやすいように人間の目で見える光で説明すると、電球の1cm横から2cm横に移動した場合、明るさは2分の1になるのではなく4分の1になるわけです。

　これは電波でも同様で、スマホの通信を司る基地局からは理論上、遮蔽物がなければ数キロメートルは届くほどの電波が発せられています

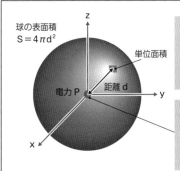

球の表面積
$S = 4\pi d^2$

単位面積

電力P　距離d

距離 d (m) 離れ地点の単位面積当たりの
電力密度を P_D とすると：

$$P_D = \frac{P}{4\pi d^2}$$

P　：電力(W)
D　：通信距離(m)
P_D：電力密度(W/m²)

等方性アンテナ ＝ アイソトロピックアンテナ
(Isotropic Antenna)

理論上のアンテナで、電波を全ての方向に一様に
放射することができる点状のアンテナと、仮定す
る。

〈第3図〉電波強度と距離の関係

〈第3図〉。ただ実際にはスマホ側からも電波を出して基地局と交信しな
ければ通話もデータ通信もできないため、低速通信であっても2キロ
メートル程度が限界。さらに電波は金属やコンクリートのような堅いも
のには反射する[2] うえ、他の電波と干渉すると精度が低下します。遮
蔽物もスマホ本体も多い都市では、現在のスマホで主流の4G回線なら
せいぜい500メートル程度が関の山でしょう。その結果、街中に携帯
基地局アンテナが立てられまくっています〈写真2〉。この設置や維持
管理に皆さんの携帯代がジャブジャブ投じられているわけです。

　ちなみに日本では2019年秋開催の、ラグビーワールドカップで試
験運用された5G回線は通信速度が大幅に向上する反面、電波到達距離
が大幅に短くなるという弱点が……。つまりこれまで以上の数の基地
局アンテナが必要となるということで、現在の4Gでカバーしているエリアを維持するには100倍必要という試算があったりします。都会はともかく、田舎は「大丈夫？　ヤバいんじゃない？」と言いたくなるレベルです。さらに5Gアンテナは4Gアンテナの3倍の電力

〈写真2〉ビル上に設置されているアンテナ

2）ガラスなどは光と同じように通過する。

が必要とも入れており、必要数とあわせて考えると……。新しいから良いというだけではなく、デメリットも同時に発生してきます[3]。

新幹線でスマホが使えるわけ：超高速リレーで実現

　先ほど、4G回線の基地局アンテナでカバーできるのはせいぜい500メートル程度と書きました。500メートルなんて歩いていてもカバーエリアから出てしまいますし、電車などの乗り物で移動していたら一瞬のこと。しかし現実は、新幹線の中で大声で商談するオッサンがいたりしますし、スマホで調べ物も可能です。

　これは、別々のアンテナ間で「いまこっちの電波使ってる奴がそっち行くんでヨロシクっす」というユーザー情報のリレーが延々と行われているから。少し前の記事ですが、新幹線で東京から大阪まで移動した場合、このリレーを1,500回以上していると携帯キャリアの技術者が述べていました[4]〈写真**3**〉。

　余談ながら、スマホは電波が入らなければ電波を強くし接続を試みようとします。電波の入りにくい山なんかに行くと携帯は基地局アンテナを探すために最大出力に……。そうなると電池の消耗がめっちゃ激しくなり、バッテリー残量はみるみる減少。携帯の通じない山に行く人は電源を切っておきましょう。また災害時には基地局アンテナ自体

〈写真**3**〉au技術者が語る移動中に切れない仕組み
出典：https://time-space.kddi.com/feature/genbadamashii-sp/20150814/

3）アメリカで発表されたレポートでは、2023年に5G端末が4G端末を上回ると予測している。本当に大丈夫なのか？？？
4）アンテナ間でのリレーのことを、ハンドオーバーという。なお、アラフォー世代であれば2000年代初頭、PHSは電車や車に乗ると使えなかった記憶があるだろう。これはPHS用の基地局の絶対数が少なかったためハンドオーバーが行えなかったため。ちなみにデータ通信がなかった時代の携帯基地局の電波到達範囲は数キロにわたり、PHSは数百メートルにとどまった。つまり現在の4GとPHSの電波到達範囲はほぼ同程度だが、基地局アンテナが設置されまくったため、現在われわれはストレスなくスマホで通話やネットを行えるということだ。

も被害を受けます。生きているアンテナが激減し、これまたスマホの方は出力を上げて接続を試みることに。こうしたシチュエーションではこまめに電源オフにしたほうが長持ちするという生活の知恵を覚えておきましょう。

　ちなみにラジオが災害に強いのはこの電波が届く距離が長く、かつ非常に少ないエネルギーで受信できるからです。音質の良いFM放送でも１００キロメートルほど。AM放送なら数百キロメートルが受信範囲になり、さらに夜になると電離層[5] に反射してとんでもない長距離をカバーします。ロシアや北朝鮮のラジオ放送を日本で受信できてしまうのはこうした理屈のためです。

　こう聞くと「だったらラジオの電波を携帯で使えばいいんじゃね？」と思う人もいるでしょう。しかしラジオの電波は到達範囲は広いものの、通信速度がゴミレベルなうえ、大量発信には不向きです。これは前述の5Gが高速通信は実現するものの、電波到達距離が短くなるという事実の鏡合わせでもあります。電波には、周波数ごとに用途にあった使いみちがあるわけです。

わたしのスマホで動画を観るという遙かなる旅

　スマホ通信の仕組みがわかったところで、続いてはネットそのものの仕組みを見ていきます。

　スマホやタブレットPCから見るとスタート地点こそ無線デバイスですが、一度つながってしまえばネットの世界はバキバキの有線の世界。線がないのはあくまで手元のスマホなどから基地局やルーターまでのごくごく短い距離だということを覚えておいてください。

　まずは大枠を捉えておきましょう。なお、ISPはプロバイダのことです。小さな四角はサーバーなどのネットサービスで、それぞれ独立しているわけではなく本来相互につながっているのですが、とんでもなく見

5）地表から100～1,000キロメートルの距離に存在する、電気を帯びた空気の層。電磁波のうち、中波と長波を反射する性質を持つ。

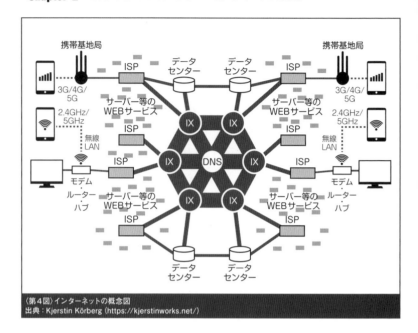

〈第4図〉インターネットの概念図
出典：Kjerstin Körberg (https://kjerstinworks.net/)

にくくなってしまうため図としては割愛しています〈第4図〉。

じゃあその"いんたぁねっと"はどこで何をどうやってデータのやりと
りをしてるのでしょう？　夕食後ソファでくつろぎながらスマホでお気
に入りのYou Tube動画を見ているケースで考えます。

携帯キャリアのデータ通信だと、家の近くに立っている基地局アンテ
ナと通信をしてそこから有線でNTTとかが全国に敷設したネットワー
クに接続。無線LANがある家ならスマホからルーターまで無線でつな
がり、ルーターとモデムはLANケーブルで有線接続し、あとは電線を
伝ってNTTとかが全国に敷設したネットワークに接続します。

ネットワークに接続すると、まずつながるのがプロバイダーです。
プロバイダーは契約者のアカウントを管理し、「コイツがこのIPでこの
データを欲しがってます！」と次に伝える仕事を担っています。アカウ
ントは住所などの個人情報と紐付けて管理しており、たとえば契約者が
掲示板で殺害予告をすると「このカキコミしたIPは誰じゃ！」と警察に

怒鳴り込まれ、「コ、コイツっす」と個人情報を提供することとなり、逮捕へと至るわけです[6] [7]。

　プロバイダーはそれぞれサービスを提供するサーバーにつながっており、また他のプロバイダーとも相互につながっています。そのため、個人が立てたチャットサーバーやゲーム用サーバーから、ニコニコ動画やZOZOTOWN、メルカリなどの大型サーバーまですべてがネット上でつながっていることになるわけです。

　しかしこれではまだYou Tube動画を見ることは不可能。なぜならYou Tubeの動画データはアメリカ・ノースカロライナ州にあるデータセンターで管理されていると言われているからです。

　実はプロバイダーにはランク付けがされており、まず一次プロバイダーというプロバイダー界の上級国民みたいなヤツがあります。一次プロバイダーはインターネットエクスチェンジ（以下IX）という国内インターネットの根幹施設とダイレクトにつながっています。IXはバキバキの極太海底ケーブルで各国のIXとつながっており、アメリカとデータ通信する場合は太平洋に何本も張り巡らされた海底ケーブルを経由しているのです[8]。

　つまりアナタがスマホで押しYouTuberの動画を観ようとすると、スマホから基地局アンテナ（または無線ルーター）、契約プロバイダー、一次プロバイダー、IX、海底ケーブル、アメリカのIX、アメリカの一次プロバイダー、アメリカのプロバイダーを「〇〇の動画観たい」という信号がわたります。これらを経由したうえでようやくノースカロライナ州にあるデータセンターにたどり着き、そこにうずたかく積み上げられたサーバールームのハードディスクがカリカリと読み出され保管された

6）怒鳴り込むというのは比喩的表現で、刑事訴訟法にのっとった手続きがある。まずは刑法218条に基づく「令状による差押え・捜索・検証」では強制捜査なため、プロバイダー側には拒否権はない。一方、刑訴法197条2項で定める「捜査関係事項照会」は任意捜査であるため、安易に応じてしまうと憲法21条で定める「通信の秘密」を侵害することとなりかねない。2019年1月、捜査関係事項照会に応じてTカードの会員情報を警察提供していたとカルチュア・コンビニエンス・クラブが公表し問題となった。LINE株式会社は捜査関係事項照会に応じるかはケース・バイ・ケースとして「捜査機関への対応」を公式サイト上に掲載している。

7）なお、たとえば学校裏サイトで自分に対する事実無根な誹謗中傷を発見したときなど、警察に相談しても動いてくれるとは限らない。そうしたとき、手間ひまはかかるがプロバイダー責任制限法4条に基づき、発信者情報開示請求を行うことも可能。自分で行うこともできるが、近年はこれを売りにする弁護士事務所もあるので、困ったときにはご一考を。もちろんお金はかかるが……。元AKB48メンバーの川崎希氏も2019年10月、自身への誹謗中傷に対して発信者情報開示請求を行ったことを公表した。

8）世界初の海底ケーブルは1851年に英仏海峡に敷設されたもの。日米をつなげる海底ケーブル敷設の困難さは、2003年に「プロジェクトX」でも取り上げられた。

〈第5図〉めちゃくちゃな距離をわたりあるく動画閲覧

動画データに到達。そして動画データも同様に太平洋をわたってアナタのスマホまで届きます〈第5図〉。You Tubeで動画を観るだけにも実はこれだけのロマンの旅があるのです[9]。

逆に言えば、IXは日本の国内と海外をつなぐインターネットそのもの。もちろん施設はひとつではないものの、十数か所と非常に数は少ないので仮にIXがテロで同時に落とされると日本のネットは海外と断絶されてしまいます。衛星回線という別ルートもあるにはありますが、こちらのほうが根幹部分は脆弱です。IXを落とすより難度はずっと低いので、アテにはなりません（笑）。

もうひとつのネットワーク？ 他にもあるぞ大事な回線

ここまではインターネットについて解説をしてきました。さて、同じネットワークでも、インターネットとは異なるものがあります。専用線ネットワークと呼ばれるものです。

インターネットは前述のとおり、プロバイダーやサーバーなどが相互につながりまくって情報のやり取りを行います。大変便利ながら、つながりまくっているゆえにセキュリティの隙をつかれ、ハッキングされる

---

9) 実際のところは人気の動画は国内のサーバーがキャッシュしてるとか、インチキはいっぱいある。ネットの概念を理解するためのお話なので、その辺のツッコミはご容赦を（笑）。

危険性もそれなりです。オンラインで情報のやり取りは必要だけれども、広く外の世界につながると困るものに専用線ネットワークは用いられます。具体的には銀行、警察、消防、鉄道、水運、電力保安などです[10]。

〈写真**4**〉メガバンクでもネットで取引できると謳うが……

映画やドラマなどでハッカーが簡単にパソコンから銀行などに侵入するみたいな描写があります。しかし、銀行の重要なデータなどはそもそもインターネットと繋がっていないため、物理的にアクセス不可能。まさにミッションインポッシブルな領域です（笑）。

そんな専用ネットワークのうち、今回は銀行のネットワークを紹介しましょう。皆さんの財産「お金」を扱う銀行。最近はオンラインバンキングとかスマホで決済みたいな形でより便利に使えるようになってきま

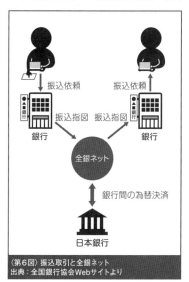

〈第6図〉振込取引と全銀ネット
出典：全国銀行協会Webサイトより

した〈写真**4**〉。しかし、私たちの使っているインターネットから銀行の残高情報にそのままアクセスしているわけではありません。実はそれは擬似的なもので、実際は専用線によって管理されています。銀行のやりとり……その根幹が全国銀行データ通信システム（以下、全銀システム）というものです〈第6図〉。

全銀システムでは、1営業日あたり平均約675万件約12.2兆円の取引が行われ、年間では16.5億件2,993兆円という巨額がやり取りさ

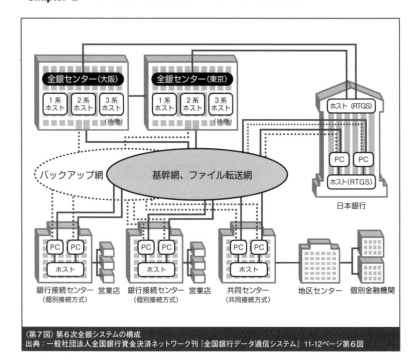

〈第7図〉第6次全銀システムの構成
出典：一般社団法人全国銀行資金決済ネットワーク刊『全国銀行データ通信システム』11-12ページ第6図

れています。日本経済の心臓と言っても言い過ぎではありません。その
ため、センターも複数用意し、万一事故や攻撃があったときようにバッ
クアップを相互に取り合って、ミスのないよう徹底したシステムを構築
しています〈第7図〉。しかしあまり一般に知られてはいません。あま
り知られていないからこそ、こうしたシステムが創作の世界で攻撃対象
になるというのは盛り上がる可能性があります。当然、実際のシステム
詳細は公表されていませんので、ある程度のリアリティさえ保っておけ
ばあとは作者のやりたい放題。筆者的にオススメのテーマです（笑）。

　専用線はインターネットとは大きく違い、1つの役割のために敷設さ
れており、さらに強固な暗号がかけられているため情報漏洩や盗聴や
乗っ取りに対して物理的な堅牢さを誇ります。ようするに入る窓がなけ
れば泥棒は入れないわけです。しかし、そうした物理的な強さ故に外か
らの攻撃に晒されないため、専用線の端末から直接侵入されると、逆に

やりたい放題がされてしまう可能性もあります。たとえば、国の根幹専用ネットワークに特化した暗号化ウイルスを流し込み、解除コードを交換条件に人質ならぬ、経済質をとる新手のテロリストや犯罪組織なんてものは、今後フィクションに登場してくるかもしれませんね。

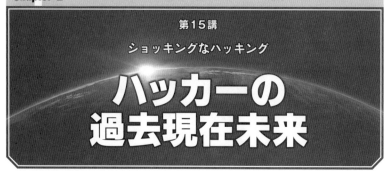

第15講
ショッキングなハッキング

ハッカーの
過去現在未来

参考作品 》》 **サマーウォーズ**

ネット上の仮想世界OZが実生活とリンクするようになった2010年の日本。人工知能ラブマシーンによりOZが乗っ取られ社会は混乱へと陥る。ラブマシーン暴走のきっかけを作った小磯健二は得意の数学で、ラブマシーンに対抗するが……。

▶**ハッカーを扱う作品群**
ソードフィッシュ、王様達のヴァイキング、BLOODY MONDAY、鞍生人

　ネットワークの話をしたので、今回のテーマはネットと関連が強いハッキング。フィクションでは街の街灯を消したり、原発を暴走させたり、魔法使いのような存在です。参考作品の『サマーウォーズ』でも交通障害を起こし、消防システムを乗っ取り、しまいには人工衛星を落とそうとしていました〈写真**1**〉。一方、ハッキングをめぐる攻防の描写は、キーボードをカチャカチャ叩くだけと華がありません〈写真**2**〉。

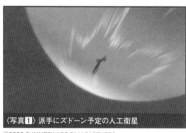

〈写真**1**〉派手にズドーン予定の人工衛星

〈写真**2**〉対する地味なパスワード突破作業

　また、その本質的面白さがどうもうまく使われていない傾向にあり、できることできないことの線引きも曖昧。そこで本講ではハッカーのリアルと、フィクションの用いる際の注意点について紹介してまいります。

2600！　ハッキングの歴史は電話に始まる

　さてまずはハッキングの歴史をひもといていきましょう。ハッキング——今ではコンピューター制御されているものを乗っ取ったり情報を引き出したりすることに使われる言葉です[1]。

　さて高度情報化社会においてハッキングといえば、ネットワーク経由で行うものと言い切って問題ないでしょう。前講でも解説したとおり、今やネットはスマホで利用することがベースになりました。また、自宅にネット回線を引く場合も光回線かほとんどだと思います。しかしかつて、インターネットは電話回線を介して行うのが主流でした。さらに遡ると1980年代後半から90年代前半にかけてはパソコン通信が人気を博しますが、これも電話回線を利用するネットワークです。つまりネットの起源は電話回線にあるといえ、電話回線をハッキングした人物こそハッカーの真祖と言えるではないでしょうか。

　ということで2600！　いきなりなこの数字にピンとくる方はいるでしょうか？　もしいたとするとその方は相当なマニア。実は2600という数字はハッカーの真祖に深く関係するものなのです。

　さて真祖ハッカー、アメリカはバージニア州、リッチモンドに住んでいたジョイバブルス（Joybubbles）氏でございます。1949年に誕生した彼は、生まれながらの盲目で絶対音感の持ち主でした。一方その頃、アメリカでは電話が普及し始めた時代。ジョイバブルス氏も４歳のときに初めて電話に興味を持ち、そして７歳のときに特定の周波数で口笛を吹くと電話がかけられてしまうことを偶然発見します。大学生になった

1）セキュリティ向上目的の場合をハッキング、悪意あるものをクラッキングと使い分けることもあるが、本講においてはハッキングおよびハッカーという呼称で解説していく。

ころには口笛を吹くことで自在に
電話をかけられるようになってい
ました。

　特定の周波数……これこそが
2600ヘルツです。2600ヘルツ
の、しかも和音が「この通話はお
金を払いましたよ」という課金信
号だったのですが、ジョイバブル
ス氏はこの音を口笛で再現。しか

〈第1図〉口笛でカケホーダイを実現

も電話のピポパ音も口笛で再現できたため、前述の通り口笛のみで自
在に電話をかけ放題になったわけです〈第１図〉。周囲の友人は羨まし
がったそうですが、和音の口笛で正確な周波数を発するというのは怪人
級のテクニックであり、ジョイバブルス氏以外に実現はできませんでし
た。この特技で彼は友人からお金を徴収してアルバイトをしていたそう
です。

　この2600ヘルツの壁を思いもよらぬ方法でぶち破った人物がいま
す。ジョン・ドレーパー氏です。彼は「キャプテン・クランチ」という
シリアルのおまけでついてきた笛が2600ヘルツの周波数を発するこ
とを突き止め、電話のタダがけを実現しました。これによりドレーパー
氏は「キャプテン・クランチ」という愛称を獲得します。とはいえおま
けの笛はあくまで取っ掛かりであり、彼はその後ブルーボックスという

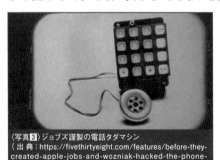

〈写真３〉ジョブズ謹製の電話タダマシン
(出 典：https://fivethirtyeight.com/features/before-they-
created-apple-jobs-and-wozniak-hacked-the-phone-
system/)

電話のタダがけマシンを開発。
この開発および販売に、かの
スティーブ・ジョブズも関わっ
ていたことは有名な話です。
英語ではありますが、このあ
たりの経緯をまとめた動画も
公開されています〈写真３〉。

ゴリゴリのハッカーは？　検挙に日本人も大活躍

　ここで紹介した2人はいずれも電話そのものに対してハッキングしたハッカーであり、ちょっと今のイメージとは異なります。「いかにもハッカー」というハッカー像に合致するのは、やはりケビン・ミトニックでしょう。ティーンネイジャーのころからハッキングに身を染めたケビンは、多くのコンピュータ会社の情報を盗んだ上に、自分を追うFBIさえも盗聴し、担当捜査官の机の引き出しにプレゼントとメッセージカードまで入れ

〈写真4〉日本では劇場公開されなかった

に行くという伝説を残しています。ケビンについては映画化もされており、日本ではまんま『ザ・ハッカー』というタイトルがつけられました〈写真4〉。ちなみにケビンの逮捕に尽力したのが下村努氏という日本人です[2]。

　わが国に目を転じますと、電話回線を経由して特定の草の根ネットワークにアクセスして交流するといったBBSが普及しはじめたのが1995年あたり。1997年くらいになるとハッキング系サイトが乱立するようになり、海外から入ってきたツールを使ったハッキング行為が問題になります。パソコン通信時代やインターネット黎明期は、それ自体にアングラ感が漂っていたものです。そうした中でハッカー文化が育まれ、どうしようもない人間から非常に秀でた人間まで、多くの人材が生まれました。テレビで文化人を気取っている人、某動画サービスを起ち上げた人、アメリカでネットセキュリティ会社に就職した人、諜報活動で公安警察に協力する人、さまざまです。

　その後、インターネットが普及し、日常生活にすっかり溶け込んでい

2）氏は『ザ・ハッカー』にもカメオ出演している。なお、氏の父親は2008年にノーベル化学賞を受賞した下村脩氏。ゴイスー。

ますが、ハッカー文化も脈々と続いています。近年も日本人ハッカーがGoogleの脆弱性を見つけたことで報奨金を受け取ったなどというニュースが報じられました。

ハッカーのできることできないこと

フィクションにおけるコンピューター描写は、インチキ臭さが漂いがち。ひと昔前の作品では、謎のぐりぐり動き回る使いにくそうなUIで、ウインドウ1つ開くたびに謎の効果音が鳴ったり、プログレスバーがミリミリ進むたびにﾐﾐﾘﾐﾘﾐﾘﾐﾘと変な音を立てたりします（笑）。1988年公開の映画『ダイハード』ではビルジャック犯がコンピューター制御の金庫破りを企てますが、なんかよくわからないコンピューターシステムが登場〈写真**5**〉。余談ながら同作にはコンピューターの大先生としてテオというキャラクターが登場するのですが、テオ氏が一本指でキーボードを叩くというステキな描写も登場します[3]。

さすがに近年は、ここまでのものは見かけなくなりました。ただハッカーについては冒頭でも触れたように"どんな機械も操作できる魔法"の如く描かれがち。が、いくらコンピューター制御されている機械でもネットワークに接続していなければ何もできません。前講の復習ですが、原発や軍事基地、航空施設などはネットワークを構築しているものの、その施設のみで完結しているシステム。外部からリアルタイムでのアクセスはまず不可能です。つまり自宅PCのキーボードをペチペチ叩いてどうにかできるのは、われわれが普通にアクセスできる範囲が基本になります。

〈写真**5**〉謎の金庫セキュリティシステム
『ダイハード』より

3）さらに余談ながら当時はジャパン・アズ・ナンバーワンでバブリーな時代。舞台は日本企業・ナカトミ商事でめちゃくちゃ金満起業として描かれている。隔世の感がハンパない。

そうしたなかで、脆弱性をついたり、ブルートフォースという総当たりプログラムで強行突破したりしてシステムに侵入し、内部データの窃取や改竄を行うわけです。

また、そこにゾンビ化プログラムを入れることができれば、外部からある程度操作することも可能でしょうが、完全匿名で行うのはなかなか難しいと言わざるを得ません。

ハッキングの浪漫を追え！　ハッキングのキングとは？

そうなると、インターネット上のものにこっそり侵入してデータを改ざんしたり、盗んだりすることがハッキングの限界なのでしょうか？

その昔、ブラウン管モニターの時代、画面に投影されているデータ自体を隣の部屋から盗み見るというとんでもないロマンのハッキング技術がありました。つまりスタンドアローンのPCであろうと、情報を獲得できてしまうわけです。と、聞くととんでもない技術のように思えるかもしれません。しかし、これはブラウン管モニターからどうしても出てしまう漏洩電磁波をキャッチし、それを映像に戻すだけという単純なものでした。この問題がクローズアップされたのは、1960年代のアメリカで、諜報技術として研究すると同時に防護策も講じられます。そして国家安全保障局は、漏洩電磁波を遮断する技術をTEMPESTと命名[4]。ただし液晶ディスプレイ時代を迎えるとTEMPESTの必要性はなくなりました。

現代は現代で多種多様なコンピューターウィルスが日々登場していることはご承知のことと思います。スマホ向けのウィルスも今はまったく珍しくありません。そうした中でもたまに「こりゃとんでもねぇ！」と言いたくなるような代物が登場することがあります。コンピュータウィルスといえばシステムを乗っ取るなど、ソフト側に作用するというのが常識でした。しかし2018年、アメリカのミシガン大学と中国の浙江大

4）そこから転じて、電磁波盗聴をTEMPESTと総称することもある。

学の共同研究チームがPCに
搭載されているHDDを物理
的に破壊する技術を公開し、
注目を集めます〈写真**6**〉。

〈写真**6**〉ブルーノートと名付けられた技術
（https://www.youtube.com/watch?time_continue=
559&v=v0yh9fG00zo）

　方法としては、感染した
PCのスピーカーから人間の
可聴域外の低周波を大音量
で照射。その周波数はHDD
の精密な部品と共鳴共振する周波数であり、HDDが物理的に破壊され
ます[5]。

　またオフラインのPCからデータを盗むというとんでもないプログラ
ムも見つかっています。PCに一瞬の負荷をかけるとCPUの消費電力が
一瞬上がることを利用。上がった消費電力はコンセントから供給される
AC電源に反映されるので、そのコンセントを通じて近くの電気ケーブ
ルから波形として検知できるのです。この電気的負荷をモールス信号の
ように解読すればオフラインの端末であっても、情報を盗み取ることが
できてしまいます。ただ、前提として対象PCにバックプログラムを仕
込む必要があり、またデータ転送速度は鬼のように遅い……というハー
ドルもあったりするのですが。

　「もはやバッテリーで動かすしか安全策はない！」と言い切れないの
も困ったところ。なにせ近年、中国製のとある電子部品が数個そろうと
データ漏洩プログラムとして動作するなんて噂があったりしますから。

　これからもネットワークとセキュリティはそうした水面下でいろいろ
な攻防戦が繰り広げられていくのでしょう。

5）プログラムによるハードの物理破壊といえばその昔、フロッピードライブの読み出し音で音楽を奏でさせてドライブに無理をさ
せて破壊するという遊び心のある破壊プログラムがあった。

第3章

創作と現実の
境界を探る
フィクショナリズム大綱

第16講

はたしてそれは良い世界か？

異世界の設定

参考作品 ▶▶▶ **十二国記シリーズ**

平凡な女子高生・中嶋陽子が神仙や妖魔が存在する十二国に流される。彼女は十二国のひとつ、慶国の王となるが……。ながらく中断されていたが2019年に6年ぶりの、長編としては18年ぶりの新刊が発売された。

▶**異世界を扱う作品群**
マトリックス、ソードアート・オンライン、日帰りクエスト、転生したらスライムだった件

　昨今は「平凡な主人公がある日突然異世界に渡り、その世界で俺TUEEEEライフを満喫する」という形式の作品が多く生み出されています〈第1図〉。ただ、これは最近のコンテンツに限られた話ではなく、

たとえば児童文学の傑作「はてしない物語」は1979年に、「ナルニア物語」は1950年から1956年にかけて、「不思議の国のアリス」は1865年に刊行されたものです。さらに遡れば、神話の類にも「別の世界に行って……」というものには枚挙に暇がありません[1]。

〈第1図〉定番化しすぎた「元世界で平凡な主人公が」展開

1）たとえば古代日本では、常世の国という理想郷が海の彼方にあると考えられ、多くの書物に記されている。古代中国でも、蓬莱という仙人たちが住まう島があると説かれていた。なお、参考作として挙げた「十二国記」シリーズでは、こちら側の世界のことを蓬莱と称している。

多く生み出されすぎたせいか、異世界モノを禁止した小説コンテストなんてものも開催されたりもしました〈写真**1**〉。

2017年05月09日　NOVEL 0「大人が読みたいエンタメ小説コンテスト」開催決定!

"カッコいい大人の生き様"をテーマにした小説レーベル「NOVEL 0（ノベルゼロ）」が主軸となって、新しいコンテストを開催します。

その名も……

NOVEL 0「大人が読みたいエンタメ小説コンテスト

大人が読みたいエンタメ小説コンテスト

異世界転生以外なら
オールジャンルOK!
成人男性主人公求む!

大賞30万円

書籍化決定
（他特別賞の可能性も!）

異世界転生以外ならオールジャンルOK!　成人男性主人公求む!

〈写真**1**〉異世界を禁じた小説コンテスト

かくも人気な異世界モノですが、非常に便利な設定装置であることも事実です。現実にそくした形で描かれる元の世界からまったく異なる世界に舞台を移すことで、読者に作品世界に没入させる効果を得られます。しかし、移った先の異世界があまりにツッコミどころ満載だとすべて台無しに……。

異世界を描くときに注意すべきは"その世界におけるルールを決めておく"ことです。作り手側が、自ら定めたルールを意識すれば作中矛盾は生じず、痛いツッコミに悩まされることもありません。

ではここから実際の作品をひもときつつ、おせっかいにも"異世界を描く"ポイントを考えていきましょう。はたして異世界らしい異世界とはどんなものなのでしょうか?

異世界じゃない世界なんかない!

まず乱暴に言ってしまえば、フィクションで描かれる世界とはすべてが異世界です。

1990年代のハリウッドアクション映画なんて一見我々の世界に見えますが、あらゆる物理ルールがデフォルメされていて、リアルのようでちっともリアルではありません。

例えば銃でのダメージなどは過小表現されていることが多かったですね。ハンドガンであれば多少命中しようがかすり傷、ライフルで狙撃されても30秒くらいうずくまっているだけで前戦復帰。こんなのが普通だったのです。

　それが2000年代に入るとそうした表現は時代遅れとなり、最近はリアルなダメージ表現を採用する作品が多くなっています[2]。

　また、空を飛ぶことに関してもかつては非常に無頓着でした。現実世界のような舞台設定でありながら、登場人物が普通に空を飛べるわけです。単純に重力が小さいというのでは説明がつきません。ちょっとGoogle先生に聞いてみたところ、かのスーパーマンは時速800万kmで飛行可能[3] なものの、その飛行原理は説明されていないそうです。逆に映画『アバター』では、空を飛ぶことについては、大気密度が高いため揚力が得やすく飛行生物が多種多様に進化したという設定が盛り込まれました。なお『アバター』は、さまざまな事象に対して科学的裏付けを用意した作品として知られており、生物学、天文学、地質学など多くの分野の学者がアドバイザーとして関与しています。

異世界のために決めておくべき3設定

　とはいえ、なんでも現実に即したリアルにすればいいわけでないのは前述の通り。大切なのはその作品の世界観にあった物理法則を決めることです。ここがしっかりと定まっていれば作品内の設定矛盾は起こりにくくなります。

　特に注意すべきは次の3つです。

①世界線

　この我々の世界の地続きなのか、それとも似て非なる別の世界なのか。過去であれ未来であれパラレルワールドであれ別の星であれ、地続き世界ならある程度は現実の物理法則を踏襲する必要があるでしょう。一方、別の世界ならば大胆な設定を据えることが可能です。明言しないというのもひとつの手かもしれません。

2）リアル路線の作品としては『アメリカンスナイパー』や『フューリー』など。
3）時速800万kmということは秒速2,222kmということ。つまりスーパーマンが東京を飛び立つと1秒後には北京や台北、サイパンに到着できる。なお、空気中で秒速約340mのマッハ1は時速約1224kmなので、スーパーマンはマッハ6500で飛行可能ということになる。

②社会構造

　これは科学的な設定ではないのですが、ヒエラルキーなどの社会構造自体は物語と絶対に関わりがあるので、そのあたりの設定が曖昧だとご都合展開になりがちです。

③生物相

　人類が到達したこともない未知の惑星に、地球と変わらない植物が生えていては違和感しかありません。似ているけど異なるものなのか、まったくの異物なのか、フィクションの度合いに応じて変化させる必要があるわけです。マンガやアニメなど、描かれた世界ではそれほどではありませんが、実写モノでここがおろそかになると強烈な違和感を醸し出すことに……。

　これらがしっかりしていると、違和感なく作品世界にのめり込むことが可能です。

ハリポタとまどマギの違いに見る熱力学

　さらに前提として、フィクションにおいて世界を構築するとき、真っ先に決めておかなければならないことがあります。それが熱力学の法則に従う世界なのか、そうではないのかということ。

　なにやら難しそうですがなんのことはありません。簡単に言えば物理法則を無視する「魔法がアリかナシか」です。

　例えば『ハリーポッター』では、悪霊から身を守ったり、火や風を操ったり、さらには何も無い空間に鳩を大量発生させたり、時間さえも跳躍したりする魔法具が登場します。

　これらの魔法は当然、科学的に再現が困難なものばかり。鳩の召喚などは無から有が生じているので、空間転送であったとしてもエネルギー的には莫大で、もはや計算すること自体がナンセンスです。

　こうした世界では、空中で空を蹴って多段ジャンプしようが、銃弾

〈写真**2**〉過去で自分に会っちゃったハーたん

を浴びてもかすり傷だろうが、空を飛んでる人が巨大な位置エネルギーを相殺しようが不思議はありません。別に科学的に正しくないなんてことは些末な問題なのです。本当になんでもありだけに、予測不可能な展開にキャラクターたちが翻弄されて、そうした中で生まれるドラマがさらに魅力的に見えるでしょう。

　ただし「なんでもあり」はドラマを描く側に力量が求められ、安易に用いるとストーリーを破綻させる諸刃の剣にもなります。

　人様の設定の重箱の隅をつつくのは非常に失礼であり、本来はすべきでないというのが筆者のスタンスです。しかし、無礼を承知で先ほども取り上げた『ハリーポッター』を例題に、そのストーリー破綻の起こる危険性について考えてみましょう。

　『ハリーポッター』の登場人物、ハーたんことハーマイオニーは時間を巻き戻すアイテムを持っています。彼女はその道具をいろいろな授業を受けるという、大胆かつ雑な使い方をしていました。そしてなんとそのアイテムを持ってハリーやロンをつれて過去に戻り、しかも過去の自分に会ってしまったのです〈写真**2**〉。

　これはとてもまずい設定と言わざるを得ません。過去に戻った時点でハーマイオニーが２人になっているということは、アイテムが２倍になっているということ。ではその２人が出会って数分後、１分前、２分前と無限に戻り続ければ、２のべき乗でハーマイオニーとアイテムが激増することが可能です。あっという間に世界はハーマイオニーが溢れかえるでしょう[4]。

---

4) いわゆる２のn乗問題。10回試みれば1024人のハーたん、20回で100万人のハーたんが登場することになる。33回で地球人口を超えることに。1人欲しい！

　この大量生産スキームに作中最高戦力のダンブルドア校長を巻き込めば、エージェントスミスも真っ青なダンブルドア校長の大軍勢でヴォルデモート卿を迎え撃つことだってできたはずです。大事なキャラが命を失おうと即undo。なんでも不都合が起きれば即リセットができるとんでもチートキャラになってしまいます。

　もちろんこうしたツッコミは野暮の野暮。『ハリー・ポッター』が作品として駄目とかそういうことではありません。わかりやすい例としてあえて取り上げたとご理解ください。　同じ魔法ものであっても、この熱力学の法則を守る前提のとんでもない作品も存在します。それこそ『魔法少女まどか☆マギカ』(以下『まどマギ』) です。

　『まどマギ』の世界では、情報の読み出し＝エネルギーの解放という魔法設定があります。しかしこれは"なんでもあり"ではなく、魔法少女の存在や魔法は熱力学第二法則に準拠するのです。作中で魔法少女を作る存在・インキュベーターは、少女を魔法少女に変え、魔法を使わせ、そして最終的には魔女と化すときに莫大なエネルギーを回収する、という設定になっています〈写真 3〉。

　もちろん厳密な部分まで科学的に正しいわけではありません。ただ、実際に情報自体がエネルギーを持っているということ、物質とエネルギーが等価であることなどがベースに話が練られているのはかなり重装備の設定といえます。

　情報＝エネルギー。魔法少女たちは魔法を使うたびに些細な過去の記憶をエネルギーに変換し、物理法則を一見無視したような芸当をやってのけているというヘビー級の設定が読み解けます。

　『ハリーポッター』と『まどマギ』。熱力学の

〈写真 3〉魔女と化した美樹さやか

©Magica Quartet/Aniplex・Madoka Partners・MBS

183

法則に従うのか従わないのか、この簡単な問いにYESかNOかで、その
フィクションの世界の重さや空気がガツンと変わってくることが少しで
も伝わったでしょうか？

人間強度もフィクションでは要チェック

　ここまでは舞台設定についてのポイントを解説してきました。さらに
もう一つ、ぜひ注意してもらいたいのが人間の強度です。その世界に存
在する人（もしかすると人ではないかもしれませんが）の、身体的強度
というのはある程度決めておくべきでしょう。派手なバトルを描く上で、
人間が人間としてのリアリティと人体の強度は非常に問題になります。
これはなにも異世界に限った話ではありません。ここがフワフワしてい
ると、ある人がワンパンで死んだと思ったら別のある人は滅多刺しでも
ピンピンしている……と不安定な雰囲気が出てきてしまいます[5]。

　実際問題、現実に即してリアルにすればするほど人間は実に脆い生き
物です。多くの専門家によると、素手で武器なしだと一流の格闘家でさ
え柴犬と同等かそれ以下の戦闘能力と言われています。「柴犬？」と、に
わかには信じられませんよね。道具に依存している人類は、他の動物に
比べると体力面において非常に貧弱ゥゥゥです。日本における過去の
事例では屋内に侵入してきたツキノワグマが人の足に噛みつき、首を振
り回してそこらじゅうに叩きつけ、秒で殺害したこともありました。ツ
キノワグマの平均サイズは体長120 〜 130cm、体重50 〜 80kg程
度です。つまり体長1メートル程度の動物には、一噛みであとは首を振
るだけで人間を倒す筋力が備わっているということ。ここから考えると
人間の戦闘力＝柴犬程度というのも案外的を射ている気がします[6]。人
間の筋力はいくら鍛えたところでそんな程度ということです。

5）このあたりの不安定さはゲームで特に顕著に現れる。たとえば某『龍が如く』シリーズでは、バトルにおいて鉛玉を喰らわせよう
　が日本刀で斬りつけようが何度も何度も何度も何度も立ち上がってきた敵キャラが、イベントシーンでは結構あっさり絶命した
　りする。
6）2017年、イギリスで41歳男性がBBCからの取材を受けている最中に飼い犬に首を噛まれて絶命するという事件が発生した。犬
　種はスタッフォードシャー・ブル・テリアという中型犬。ただスタッフォードシャー・ブル・テリアは闘犬用に品種改良されて
　生み出された気性の荒い犬種である。

　これが機械相手であれば人間はもはや紙切れ、プリンと言った感じ。どんな超怪力の人間であっても素手でホームセンターで2000円程度売られているドリルを止めることは不可能です。

　工業用の機械となれば、労働災害事例をあげつらえば悲惨なものが山ほど出てきます。車を素手で止めることどだい不可能。まして銃やミサイルといった殺人のために発明された機械を前にしては、鋼の筋肉はもはやあるのか無いのか不明なレベルです。どんな筋肉だろうが脂肪の壁だろうが、世界最弱と言われる日本の警察が標準採用しているニューナンブM60で撃たれれば体のどこに命中しても、すぐに病院に行かなければ十中八九死亡します。強い銃弱い銃といっても、即座に相手が行動不能になるかどうか程度の差で、致命的なことに変わりはありません。

異世界に生きる人はどんな人？

　お話を描く上で、この人間の強度に関してどの程度リアルにするかというのはフィクションを描く上で非常に重要な点です。別に黄金期のハリウッド映画のように、ナイフ傷などはノーカウント、ピストルなんてかすり傷、ライフルで撃たれても数秒うずくまれば大丈夫といったタフな表現が悪いというわけではありません。ただ、リアリティを追求している作品であれば、そういった表現と現実の差が冷めた空気を作り出してしまうことが懸念されます。それを「設定でどげんかしてしまおう！」というのが最近多く見られる流れです。

　派手なアクションをしてもOKで、撃たれ強く、命をかけた迫真のバトル展開ができる。そんなヒューマノイドの設定は大きく分けて３種類くらいではないでしょうか。

①人間ではない

　まず一番多いのは、そもそも人間ではないというパターン。「彼らは人間に似ているけど、吸血鬼や喰人鬼なんだ」「非人間の存在なんだ」と設定するだけで、人間の物理強度を守る必要はありません。このケースで

は、体を貫こうが、銃撃に遭おうが、なにをどうしてもOK。ただうっかりするとただの丈夫な無敵キャラになってしまうので、致命的な弱点が付与されている場合が多いといえます。

②強化装備がある

　SF作品で人体を異質なレベルで強化しているという設定は、日本のマンガでもハリウッド映画でも増えてきた、いわば最近のトレンドです。「魔法やエネルギーシールド的なもので体を薄く守っているぞ」「ナノマシンで強化である」どんな設定でも1つあれば十分。

　SF的強化人間といえば、DNA移植（テラフォーマーズ、スパイダーマンなど）、機械化（ロボコップ、銃夢など）、強化スーツ（GANTZ、ORIGIN、攻殻機動隊など）、ナノマシン（メタルギアソリッドなど）枚挙にいとまがありませんね。

　これらの作品では一般人類の脆さはある程度リアル路線で、その上で強いキャラクターを立てて、アクションはそういったキャラクターに任せるというパターンです。お気づきのとおり、異世界感はやや低め。どちらかというと今より科学技術が進んだ未来世界との食い合わせが良いと言えるでしょう。またこの手法はリアリティに重きを置き、超設定をむやみに増やせない作品では使えません[7]。

③人間だけど種族が違う

　映画『アバター』で描かれる原住民は、地球人類のだいたい2、3倍の体躯。また地球の生物にはない特殊な組織構造を持ち極めて頑丈なボディを持っているという設定です。故に人間の作った重機と渡り合っても説得力があります。

　また、見た目が人間だからといってそれが地球の人間であるとは限りません。映画『スターウォーズ』は、遥か未来の話に思えますが、そもそもオープニングで「A long time ago in a galaxy far,far away....（遠い昔。遥か彼方の銀河系で）」から始まります。故に人間

7）リアリティ重視系の作品では銃撃戦ではむやみに被弾しないようなリアルさを追求する必要がある。バトルとしては地味な印象を与えるが、この部分を逆にきっちりと取材し調べ、場合によっては監修者をつけてドラマへ昇華させていることもあるので地味だから面白くないというわけではない。念のため。

のように見えても、彼らはぜんぜん別種の人類というわけです。惑星が違えば、その環境に適応した結果、可憐な少女であっても地球においてはグリズリーを片手でひねるくらい強いかもしれません。地球人類の法則をそのまま当てはめる必要がそもそもないのです。

④物理設定から違う世界である

　こちらは最もハイファンタジーなものです。そもそも物理設定から違う世界である場合です。『ONE PIECE』や『ドラゴンボール』などが該当します[8]。これらの作品のなかではわれわれの世界でありえない現象が当たり前のものとして登場。世界自体がまったく異なるわけです。世界観自体が根本的にハイファンタジーであれば、そもそも地球人類の物理限界を適用する必要はありません。

　以上、ざっくりとお作法的な感じでまとめてみました。舞台設定とそこに登場する人物設定、そのふたつに気を使うことで異世界モノは正解となるわけですね！

---

8)『ドラゴンボール』では地球、月といった言葉が登場するが、われわれが住む地球とはまったくの別物。たまたま名称が一緒だったのであろう。

第17講

どの世界にもカラカラ地帯にヌメヌメ生物はいない！

異世界生物学

参考作品　**アバター**

惑星パンドラを舞台に、資源開発にやってきた地球人類と自然を愛する先住民族ナヴィとの関わり、対立を描く。2009年に公開され、長らく世界興行収入1位に君臨していたが、2019年、『アヴェンジャーズ/エンドゲーム』にその座を渡した。

▶**異世界生物を扱う作品群**

『モンスターハンター』シリーズ、『ドラゴンクエストモンスターズ』シリーズ、『ポケットモンスター』シリーズ

SFからハイファンタジーまで、フィクションをいろどる重要な要素に、その世界に住まう生き物の存在があります。ときには主人公の前に立ちはだかる恐るべきモンスターとして、ときに心強い相棒として、ときに夢の広がる乗り物として、登場するさまざまな生き物たち。これは、作品の世界観を感じさせるオブジェとしての役割を果たしているとも言えるでしょう。たとえば『風の谷のナウシカ』に登場するトリウマは、われわれの世界の馬とはまったく別の生き物〈写真**1**〉。ここからもナウシカの世界観が強く伝わってくるのは言うまでもありません。

架空な生き物なわけ

〈写真**1**〉軍馬としても用いられるトリウマ
『風の谷のナウシカ』第3巻133ページより（宮崎駿／1984年／徳間書店）

ですから、もちろん自由な発想で描けばよいのは前提です。ただ、砂漠のオアシスにマグロが泳いでいたり、雪山でセミがミンミン鳴いていたりするとやっぱり

〈写真❷〉捕食関係がリアルに描かれるピクミンの世界
Nintendo公式チャンネル「ピクミン3紹介映像」より

違和感があるでしょう[1]。生き物は、その環境に応じた特性を持つものです。たとえハイファンタジーでも、乾燥地帯に泥状モンスターが登場するというのはおかしな印象を与えてしまいます[2]。

　そういった意味では参考作品として挙げた『アバター』はやはり見事の一言[3]。多くの専門家の監修を受けて構築されている同作は、惑星パンドラの生態系全体にリアリティを持たせています。またゲーム『ピクミン』も人類が滅んだあとの地球[4]における生態系を、地味にリアルに描いている作品です〈写真❷〉。

　本講では、異世界生物を描く際のポイントをいろいろな観点から考察していきたいと思います。

似た環境では似た生き物に：収斂進化

　異世界の生き物を語るとき、覚えておくべきは収斂進化という概念です。収斂進化については前作「アリエナクナイ科学ノ教科書」でも詳しく紹介しましたが、本講を読み進めるにあたってしっかり理解しておく必要があります。

1）「不思議か？　これはユキゼミといってな。うんぬんかんぬんうんにゃらかんにゃらあーでもないこーでもない」みたいにその違和感を、うまく設定化するというやり方はもちろんアリ。
2）生き物の枠組みを超えた妖精、天使、神の類はこの限りでない。ただし妖怪は、その環境下における不可思議な現象を説明するための装置という側面もあるので、ズレが生じるとやはり違和感がある。
3）本書においても前作においてもしばしば登場する『アバター』。「またアバターかよｗｗｗ」と言ってはいけない。だって本当によくできてるんだもの。
4）公式にアナウンスはされていないが、『ピクミン』のゲーム舞台は未来の地球という設定。地球人類が残した遺物が数多く登場する。

　収斂進化とは、動物は
たとえ種族が違っても同
一環境下では似たような
姿になる現象です。たと
えば魚類と哺乳類は、まっ
たく異なる種族。しかし
海に住まう、魚類のサメ

〈写真**3**〉化石を元に描かれたイクチオサウルス

と哺乳類のイルカはほぼほぼ同じようなフォルムをしています。違いは
尾ひれの向きがサメは縦向きでイルカは横向きなことくらい。また生物
史をひもとくと、イクチオサウルスというサメとイルカを足して割った
ような恐竜もかつて存在[5]していました〈写真**3**〉。

　ほかにも、オーストラリアに棲息する有袋類は、同じ哺乳類ながら人
類を含む有胎盤類とはかなり昔に分岐した種です。しかしフクロモモン
ガ、フクロオオカミといった具合に、有袋類には有胎盤類に対応する種
が存在することも少なくありません。見た目は似ていても、もちろん完
全に別種です。有胎盤類がいなかったオーストラリア大陸において、有
袋類が有胎盤類とほとんど同じ形を獲得するに至ったことが収斂進化に
説得力を与えています[6]。

　収斂進化は、フィクションで異星を描く場合であっても異世界を描く
場合であってもある程度は踏襲すべき概念と言えるでしょう。たとえば
異星を描く際でも、「地球と全然違う環境だから、こんな無茶苦茶な生き
物が存在します」よりも「地球とは環境がここがこう違うので、こんな
進化を遂げたのです」という方が説得力がありますよね。ひいては作品
全体のクオリティに対する信頼性も上がってくるでしょう。

　この考え方は『アバター』のキービジュアルとなっている"翼のある
ドラゴン"型生物でも取り入れられています。作中でしっかりと進化の
過程が解説されているわけではないのですが、惑星パンドラでは陸上大

5）イクチオサウルスは三畳紀後期からジュラ紀前期にかけて生息していたと考えられている。おおむね2億年ほど昔。
6）土中で生活する、哺乳類のモグラと昆虫のオケラの前脚の形状など、収斂進化を裏づける例は、ほかにもたくさんある。

型動物は6本脚で進化し、その一部が翼へと変わっていったと画面から読み取ることが可能です[7]。

魔法世界なら何でもOK？　とも言い切れない

収斂進化の考え方は、われわれの世界と地続きであることが多いSF作品と親和性が高いと言えるでしょう。では剣と魔法のファンタジー世界ではどうでしょうか。

魔法が成立する世界というのは、ある意味なんでもありの世界。人間の身体に牛の頭がついていようが、オオカミの顔がついたタコが海にいようが、下半身がクモになっている人間がいようが問題ないわけです。

たとえば『ドラゴンクエスト』シリーズでおなじみのスライム。これは科学的にはどう考えても生き物足りえず、「魔法生物だからw」とするしかありません。

とはいえ創作は人間相手のもの。出現場所などについては一定の説得力を持たせているものがほとんどでしょう。火山に行けば炎系モンスターが登場し、雪原を進めば氷系モンスターが登場します。ここまで何でもありしてしまうとやっぱり受け手に違和感を与えてしまうわけです。

ゼロからは無理？　奇抜生物のヒントはリアルから

ここまで異世界の生物はどんな生態なのかについて考えてきました。それを踏まえ、続いて考えるのは"どんな見た目"なのかです。

「おどろおどろしい異形のモンスターを描きたい」という思ったとして、なんの脈絡もないところから新たなるデザインを起こすのは非常に困難。たとえば映画『エイリアン』に登場するエイリアンは全体を見るとまさに異形ですが、よく観察すると人体のパーツがところどころに用いられていることがわかります。たとえば頭の前部には本物の人間

7）惑星パンドラは大気密度が非常に高いという設定。これも異星の空飛ぶドラゴンを成立させるために必要だったことが窺える。

〈写真**4**〉人骨を組み込むエイリアンの造形
「Alien - H. R. Giger's Beautiful Monster」より
(https://www.youtube.com/watch?v=q4Zzag7MusM)

の頭蓋骨を組み込んでいたそうです〈写真**4**〉。実は、日常的に見ているパーツが違和感のある形で用いられていることにより、いっそうの異形感を創出しているとも言えるでしょう[8]。

　異世界に生きているであろう、空想生物を描く際に役に立つのが、ネオテニー[9] という生物進化の仕組みです。ネオテニーとは、子どもの特徴を残したままで成体になる現象をいい、有名どころとしてはウーパールーパー[10] があります。

　普通のサンショウウオは両生類なので、子どものころはエラ呼吸をしますが、大人になると肺呼吸へと移行。しかしウーパールーパーは成体になっても肺とエラの両方で呼吸します。子ども時代のエラが残り続けるということで、ウーパールーパーはネオテニーなのです。

　また近年、ダニがミジンコのネオテニーあることがわかりました。実際、特定の種類のミジンコの幼生期はダニと多くの共通点があります。害虫として名高いダニが、無害っぽいミジンコのネオテニーであるという事実は、異形を考える際の参考になるでしょう[11]。

　さらに実は人間もサルのネオテニーと言われています。サルが胎児として子宮にいるころの姿は、人間の胎児にそっくり。つまり人間はサルの幼生の特徴を有したまま、大人の階段をのぼっていると考えられるわけです。

　ネオテニーにより生物はどんな進化を遂げるのか、これを考えるにあ

8）第1作『エイリアン』が公開された1979年から、多くのシリーズ作が登場している。近年の『プロメテウス』(2012年) や『エイリアン・コヴェナント』(2017年) では、人間の遺伝子を感じさせるモノがエイリアンに含まれているのかについて微妙に言及されていた。

9）neotenyと英語表記する。日本語では幼生成熟、幼態成熟などという。

10）ウーパールーパーは流通名で、正式名称はメキシコサンショウウオ。メキシコサンショウウオはトラフサンショウウオ科に属し、同科のネオテニーはアホロートルと総称される。

11）ダニは分類上、鋏角亜門クモガタ綱ダニ亜綱に属するため厳密には虫ではない。クモやサソリの仲間。

たって非常に参考になる資料があります。2003年にイギリスで制作されたテレビ番組『フューチャー・イズ・ワイルド』では、科学考察に基づき、未来の地球の動物が描かれました[12]。同番組にはさまざまな未来生物が登場するのですが、そのなかのひとつ「2億

〈写真5〉巨大なミジンコと言えるシルバースイマー
©The Future is Wild Limited.

年後の世界」で描かれるシルバースイマーは魚ほどの大きさに成長するネオテニーの甲殻類です〈写真5〉。現在は顕微鏡で観察するプランクトンが、2億年という歳月を経ることで巨大化し、魚類にかわって海の主人公になったと描かれています。

　ちなみに『フューチャー・イズ・ワイルド』ではイカの子孫が地上に進出していました。筆者も大好きなゲーム『スプラトゥーン』は、イカが進化したという設定。もしかすると『フューチャー・イズ・ワイルド』の影響を受けているのかもしれませんね（笑）。

　話が少し脱線してしまいましたが、ともあれ異形の生き物を描く際、プランクトン図鑑や微生物図鑑を資料にするのはひとつの手法です。それらを参考に、デザインをアレンジさせていくといいでしょう。

異世界での生物相は地球を参考に!?

　ここでフィクション向け超ざっくり版、生物カテゴリ解説をしておこうと思います。

　まず大きく分けると生物は❶微生物、❷植物、❸動物、の3つです。

　このうち❶微生物は、生物学的にとてつもなく超絶テキトーなカテゴ

---

12) 日本では2004年にNHKで放映され、人気を博した。番組のDVD化のほか、書籍版も存在。ちなみに、本書の元となったWeb連載を掲載していたディスカバリーチャンネルでも放映されていた。

リーだったりします。単細胞か多細胞か、細菌なのか真菌なのかはたまた放線菌なのか……考えはじめるとキリがありません。フィクションで扱う際は、ばっさり「微生物です」というレベルで十分でしょう。

❶植物と❷動物は、ビジュアル面も含めて考える必要があります。

まず❶植物について。地球において植物は能動的にガツガツ動いたりしない存在です。フィクションにおいてもどちらかという背景、よくて景観として扱われる程度でさほど重きは置かれません。たとえば『スター・ウォーズ』の主人公が未知の惑星でコケを採集し、分類しても喜ぶ人は少ないでしょう[13]。なので、作品中の場が乾燥地、湿地、草原、森林などのどこなのかが決まったら、地球における同環境の植物相を調べ、アレンジしていくというのが良いと思います。

最後は❷動物です。地球上の動物は、脊椎動物と無脊椎動物のふたつに分けられます。などと言いつつも実態としては無脊椎動物がめちゃくちゃ繁栄しているところに脊椎動物がチョコンと間借りしているような比率になっているのですが……。ともあれ地球では動物の進化が2系統あるわけです。ただ、たとえば別の惑星では環境により系統は1つに絞られるかもしれないし、逆に3つ4つと増えるかもしれない。フィクションで異星生物を描く際は系統に捉われるのではなく、それぞれの生き物が地球の何に該当するのかを考えるといいでしょう。地球の人類なのか、猫なのか犬なのかフクロウなのかペンギンなのか……と考え、それからその星の特性にあわせてアレンジ[14]を加えていくわけです。

名作SFで考える異世界生物論

最後に、実際の作品で異世界生物を取り上げた例を見ておきましょう。

昔のSF作品において、地球の有機生命体を構成する炭素の代わりに周期表で同じ14属のケイ素で構成される生物がいるかもしれない、と

13）筆者はめっちゃ喜ぶ。ただ、超少数派だろう。
14）大気密度がめちゃくちゃ高いという特性を持たせれば、地球で海にいる生き物が空中にいる……といったアレンジも可能。空飛ぶクジラなんてのも成立しうる。

いうトレンドがありました。ロボット工学三原則を記したことで有名な作家アイザック・アシモフの「物言う石」という小説では、シリコニーという、ウランを食べるケイ素知的生命体が登場。

〈写真**6**〉価格破壊！と話題になったダイソーの500円珪藻土バスマット

ケイ素はありふれた元素で、植物のゴワゴワした短い毛やトゲに二酸化ケイ素が用いられています。2016年ころから吸水性抜群として人気を博した珪藻土バスマットも、ケイ素でできた殻を持つ微生物・珪藻の化石を固めたものです〈写真**6**〉。

ただ現在の科学の観点では、ケイ素は二重結合を作りにくいため分子的な柔軟性がめちゃめちゃ低いことがわかっています。

実際にケイ素生物がいるとすると、生きてはいるものの石のような不動の存在、もしくは一呼吸に数十年かかり寿命は億年単位のハイパーゆっくりな動物、といった感じになるでしょう。シリコニーのように人類と普通にコミュニケーションを取る生き物の存在は無理筋というのが現代科学の判断です。

繰り返しになりますが、フィクションにおいて科学的に正しいことは必ずしも正義ではありません。「物言う石」に難癖をつけたいわけでもありません。ただ、空想生物を描く際には、本当の生き物に目を向けてみることをオススメします。面白い書籍は山のようにありますし、博物館や動物園、植物園に足を運んでみるのも良いでしょう。さまざまな観点からのインプットは、創作時のアウトプットにも必ずや役に立ってくれるはずです。

第18講

属性にゾクゾクせい！

ファンタジーの属性理論

参考作品　**ポケットモンスターシリーズ**

世界販売本数が3億本を超える超人気ゲームシリーズ。第1作が1996年に発売、2019年には初のSwitch版最新作『ソード・シールド』がリリースされた。ほのお、みず、でんきなど18の属性がある。

▶属性を扱う作品群

遊☆戯☆王シリーズ、ペルソナシリーズ、モンスターハンターシリーズ

　火、水、風、土。これらの間に相互に有利不利が存在し、バトルの勝敗に深くかかわってくる。これはフィクションの世界では、圧倒的に当たり前な考え方です。さらに雷、氷、闇、光、森などといった新メンバーが加わり、複雑な関係性を構築しているゲームも珍しくありません。参考作品として挙げた『ポケモン』シリーズでは、公式サイトでタイプの相性について言及しています〈写真**1**〉。遊びの主目的とも言えるポケモンバトルにおいて、わざの効く効かないは非常に重要な要素のため、過去作においては相性表も

〈写真**1**〉最新作ソード・シールドでのタイプ解説
『ポケットモンスター ソード・シールド』公式サイトより

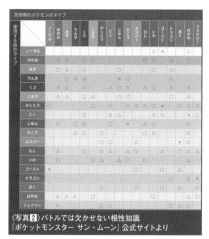

〈写真**2**〉バトルでは欠かせない相性知識
『ポケットモンスター サン・ムーン』公式サイトより

掲載していました[1]〈写真**2**〉。

　火事になれば水をぶっかけて対処しようとしますし、暗くなれば電気をつけて明るくします。属性の優劣関係については皮膚感覚で理解できるものも多いですが、理屈を説明しろと言われるとなかなか難しいのではないでしょうか？　そこで本講ではこうした属性について、科学の目で見ていきましょう。

いまでも普通に使われている？ 属性理論の歴史

　さて、そもそも属性とはなんなのでしょうか？　実はこの考え方、古来より人類とともにありました。冒頭の火、水、風、土は古代ギリシアで生み出された四大元素説というものです。これは、この世のすべてのものは火、水、風、土の4種類の配合で構成されているという概念。錬金術の基礎理論でもありました。つまり、金も火、水、風、土の配合によってできているので、別の物質の配合比をいじることで金に変化させられるという理屈です。四元素説は科学が急速に発展しはじめる前の19世紀まで信じられていました[2]〈写真**3**〉。

〈写真**3**〉16世紀の錬金術工房の様子

---

1) ノーマル、ほのお、みず、でんき、くさ、こおり、かくとう、どく、じめん、ひこう、エスパー、むし、いわ、ゴースト、ドラゴン、あく、はがね、フェアリーの18種類。種類が増えてくると「ゴーストの技はノーマルに効かない」など、違和感があるものも……。
2) もちろん鉛をどれだけこねくりまわしても金にはならないので錬金術は見果てぬ夢だった。しかし錬金術の研究が、さまざまな学問へとつながっていったことはよく知られている。火薬の発明や蒸留の仕組みなどは錬金術から生まれた。ちなみに四大元素説を否定したのは、中学で教わる"ボイルの法則"を発見したロバート・ボイル。ボイルは近代科学の祖と言われることも多い。

　また、古代中国でも木、火、土、金、水を万物の根源とする五行説が唱えられています。ここに陰陽説がドッキングし、陰陽五行説へとなっていきました。木、火、土、金、水に陽を表す日と陰を表す月が加わります。この7種類を見てなにか気づきませんか？　月火水木金土日……そう一週間！　つまり属性は、われわれの日常と密接に関わる非常に古い設定なのです。

気軽に使っている火を知る日 ぷるぷるイケイケファイアー

　前置きはこのくらいにして、ここから具体的に属性について考察していきます。まずはハデな"火"からです。火を語るにあたってひとつ問題。「火って気体？　それとも固体？　まさか液体？」……いかがですか？　この問題、意外と答えられる人が少なかったりします〈写真４〉。

〈写真４〉あまりに当たり前であまり考えない火

　小学校理科で習う"物質の三態"は「すべての物質は気体固体液体のいずれかの状態である」という概念。はっきり言ってしまうと、これは戯言にすぎません。実際、筆者が小学生時代にこれを教わった際、「ゴムは？」「ガラスは？」「水飴は？」「炎は？」と質問しまくって先生をフリーズさせた記憶があります〈第１図〉。

〈第１図〉在りし日のくられ少年図

　では改めて"物質の三態"についてざっくり説明をしていきましょう。まず固体というのは、原子や分子が密に詰まった状態で分子の振動する以外できない状態です。続いて液体は分子や原子が振動以上に自由に動けて、入れ物に応じて形が変わる状態。最後に気体は分子や原子間の影響はほとんどなくなり、分子・原子間の距離に制限が

なく無制限に膨張可能という状態をいいます。

　この文章を読んだ人は「振動ってなによ？」と思われたかもしれません。これまたざっくり説明しますと、振動とは温度のこと。実は温度は分子や原子の振動具合なのです。

　この文章を読んだ人は「振動具合？　よりワケワカラン……」と思われたかもしれません。みたびざっくり説明しますと、物質は－273.15℃、いわゆる絶対零度で震えゼロのいっさいぷるぷるしない状態になります。ここが温度という概念の始まりの点です。そして温度が上がっていくと分子や原子がぷるぷるしはじめ、それにともない固体が次第に溶け出し液体になります。さらに温度があがるとぷるぷるエネルギーも強くなり、液体は蒸発し気体へと変化。それぞれの分子間・原子間の距離が離れていきます〈第2図〉。

　化学反応を起こさせる際、加熱という手段が有効なのはこのためです。AとBを混ぜたのち、加熱でエネルギーを足すとそれぞれのぷるぷるが活発になり、結果AとBがであう確率が上がり、よりうまく反応する……という理屈。

　で、「火は何か？」に戻りますと、正解は"どれでもない"[3]。実は火は気体でも固体でも、もちろん液体でもありません。前述のぷるぷる論に

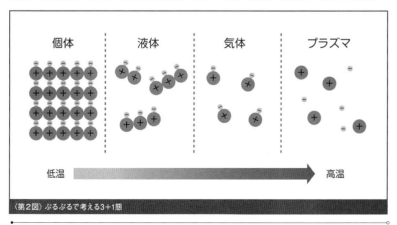

〈第2図〉ぷるぷるで考える3＋1態

個体　　　液体　　　気体　　　プラズマ

低温　　　　　　　　　　　　　　　高温

3）選択肢に正解がない。つまり筆者の設問が悪い。解説の都合上、あえてのことと理解されたし。

あてはめると、気体の状態にさらにエネルギーが加えられると分子や原子はぷるぷるしすぎてイケイケになり、電子を放出してイオン化します。このとき光を放出するため目視も可能です。気体の上の状態、これをプラズマといいます。そう、火とはプラズマなのです。

　物質がイケイケになりすぎて己の存在自体が危うくなっている、もしくは崩壊している真っ只中という高エネルギー状態、火を言葉で説明するとこうなります[4]。

　本講冒頭の火、水、風、土。改めて考えてみると、火はプラズマ、水は液体、風は気体、土は固体となり、すなわち科学的には「エネルギーの差」と考えることが可能です。

その属性はどんな特徴が？：属性のイロハ

　さて前作『アリエナクナイ科学ノ教科書』第22講「エネルギーの超基本」では、エネルギーの相関関係についてさらっと紹介しました〈第3図〉。紙幅の都合により、本当に"さらっと"だったので今回は少し掘り下げていきましょう。

　エネルギーとはいろいろなモノが変化するときに変化するもので、経由が多ければ多いほどエントロピーが増大し、ようするにロスが増えていきます。

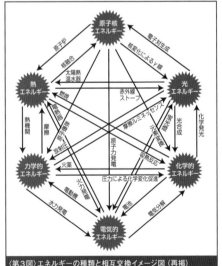

〈第3図〉エネルギーの種類と相互変換イメージ図（再掲）

4）エネルギーの観点から「火」を見てみると、ちょっと意外な面白さがある。液体の水をエネルギーを上げて水蒸気化。さらに200℃とか300℃とかまで温度を上げれば、紙やマッチなどへの着火が可能になる。「水蒸気で火がつくの？」と驚く人もいるかもしれないが、実はかなり生活密着型だ。多くの一般家庭にもあるスチームオーブンレンジはこの原理を用いて調理している。

〈第4図〉高負荷時にファンの唸りとともに熱を発するCPU

・熱

多くのエネルギーの中で最も利用が難しいとされるのが"熱"です。質の悪いエネルギーと言われることすらあります。ガスコンロやガス給湯器などで熱を利用している現代人からすると、ちょっと違和感があるかもしれません。そもそも、ほとんどのエネルギーは相互に効率よく変換できるものであり、他のエネルギーから熱エネルギーに変換する際はほぼ100%変換可能です。一方、いったん熱エネルギーになるとどんどんロスが発生。また、熱以外のエネルギーを熱以外のエネルギーに変換するときにも一部が熱として逃げてしまいます。たとえばPCに搭載されているCPUは電気で動く演算装置ですが、負荷がかかると高熱を発しますよね〈第4図〉。これはエネルギーロスです。しかも熱はCPUの性能を低下させるというおまけ付き……。場合によってはCPUを冷却しなければなりません。

・核

熱とは対極的に、最も効率良くエネルギーが保持されるのが核です。たとえば、ウラン235は原子炉で核分裂をおこし、その物質熱エネルギーとして放出されます〈第5図〉。質量欠損のエネルギーはほんの少しでもドチャクソ膨大で、しかも核分裂は連鎖的に起こすことが可能。また一度反応させれば、次々に熱エネルギーを取り出せるので、それで水を湧かしてそれでタービンを廻せば電気エネルギーが得られるわけです。ただ、核分裂

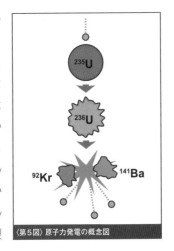

〈第5図〉原子力発電の概念図

後の物質は、自然界にはほとんど存在しない放射性物質なため、取り扱いに難儀することになります。しかしエネルギーが安く手に入れられるという点では原子力のコスパの良さは圧倒的です（政治的なアレな話はおいといて）。

〈写真**5**〉発電量としては1%未満の風力発電

・力

チカラエネルギー。頭痛が痛いみたいになってますが、力学の力です。要するに物質が動く力、その場にある力ということ。たとえば、無重力の空間に1キログラムの発泡スチロールが静止していたとします。横にいる人がそれをはたけばパコーンと飛んでいきます。しかし同じように1トンの鉄球が静止していたら、はたいた程度では動かせません。これが物質自体の質量というエネルギーともいえます。

また、普通に仕事の動力として、人類は太古の昔より自然の力を利用してきました。たとえば水車を作って粉をひいたり、風車で粉をひいたり。「粉ばっかじゃねえか」と言われそうですが、現在も風や水を電気エネルギーにして利用していますよね〈写真**5**〉。

・電気

現代の人類にとって最も使いやすいエネルギーの形態であり、便利な状態です。特に化学エネルギーと相性がよく、かなり効率良く行き来ができるので、電池として重宝されているのはご存じの通り。

・化学

電気エネルギーとも相性が良く、またあらゆる物質にエネルギーとして蓄えられています。その代表が石油で、何億年も前に降り注いだ太陽光、光エネルギーを吸収して植物が育ち、それが二酸化炭素を固定するという方法で炭素源となり、それが地殻に埋もれて蓄えられたもの。石油は質量欠損化学エネルギーの基本であり、火力発電のような直結のものから、逆に二次電池のように電気エネルギーで化学反応を起こして、

エネルギーを蓄えるなんてこともできます。

・光

　熱に次いで回収が困難で逃げやすいエネルギーの状態です。ただ逃げやすくよく飛ぶという性質のおかげで、地球は太陽から猛烈なエネルギー供給を受けることが可能になっています。ちなみに太陽光は地球到達時、177兆キロワットという膨大なエネルギーを有しています。このエネルギーをロスなく電気に変換できれば、およそ1時間で全人類が数年間使う量をすべてまかなえるほどの膨大さです。そんなエネルギーは太陽の中の核融合によって生成されています。

音で火が消え 水で火が付く 科学の世界

　なんか今回、やや小難しい話が続いてしまったので、最後にロマンあふれるお話をば。エネルギーという観点から、それぞれの属性を見ると不思議なことが起こります。

　たとえば、音で火が消えるという現象。これは気柱の固有振動という物理現象によって引き起こさせるものです。ビール瓶の口に唇をつけて微妙な力加減で息を吹き込むとボーーっという変な音がしますよね？これも気柱の固有振動で、リコーダーやクラリネットなどの管楽器の音が鳴る原理です。

　音は、空気や液体といった流体を伝わる"波"で、これが特定の物体と共振という現象を起こします。そして共振した物体は、何にも触れていないのに高いエネルギーを受けるのです。

　一方、燃えることは、プラズマ化した火が燃料を気化させ、それに引火してまた燃えて、さらに燃料を気化して……というループ。これを燃料が尽きるまで続ける連続反応です。

　これに前述の共振で蓄積されたエネルギーを送ると着火を邪魔することとなり、結果として連続反応を止めてしまいます。2015年、これを実用化した消火器がアメリカのジョージメイソン大学の学生によって

作り出され、話題になりました。実際に火を消している動画がYou Tubeに上がっているので今でも確認可能です〈写真**6**〉。

〈写真**6**〉音の装置でフライパンの火が消える
(https://www.youtube.com/watch?v=
uPVQMZ4ikvM)

また、逆に共振を物質の崩壊方面への利用もできてしまいます。これを設定に活かしたSF作品もいろいろ存在。一例をあげると1999年に放映されていた『ベターマン』にはサイコヴォイスという超音波必殺技がありました〈写真**7**〉。

〈写真**7**〉ベターマンが放つサイコヴォイス
『ベターマン』第2話より
©サンライズ

そういうわけで、属性もエネルギーという軸でみれば、また別の見方ができることがおわかりいただけたでしょうか？

第19講

強味と弱味は表裏一体

弱点のための
論点整理

参考作品　 **ONE PIECE**

日本マンガ界を牽引する、超ウルトラハイパーミラクルヒット作。2019年11月時点の日本累計発行部数は3億9,000万部を誇る。世界累計発行部数は4億7,000万部。悪魔の実を食べた能力者は、泳げなくなるという弱点が設定されている。

▶弱点を扱う作品群

顔が濡れたアンパンマン、ねずみに遭遇したドラえもん、しっぽを掴まれた初期孫悟空、遠距離攻撃されるアスタ

　前講では、四大元素や陰陽五行などに代表される"属性"に着目しました。そこでもごく軽く触れたことですが、ことゲームで属性が取り沙汰されるのは、バトルにおける有利不利がメインです[1]。前回は、属性そのものの概念を解説したので、本講では"有利不利"に着目していきます。すなわち「弱点とはなんぞや！」です。感覚的になんとなく納得している有利不利関係を科学の目で繙いていきましょう。

フィクションにおける弱点設定とド・リアルな人間の弱点

　「火のモンスターに冷気攻撃がよく効くで！」とか「闇の生き物は光

---

1) ゲームシステムにおいてはジャンケンのように三すくみ構造になっているものが多い。RPGのようなジャンルに限らず、対戦格闘ゲームでもよく採用される。たとえば乳揺れで有名な『デッド・オア・アライブ』シリーズでは、打撃は投げに強く、投げはホールドに強く、ホールドは打撃に強いというシステム。多種多様な属性が複雑怪奇な強弱関係を構築しているケースも少なくないが……。

〈写真**1**〉手足が伸びる以外のゴム特性が発揮された『ONE PIECE』第30巻76ページより（尾田栄一郎／集英社／2003年）

〈写真**2**〉ヨーデルで脳みそ破裂するヨー！『マーズ・アタック！』より

©1996 Warner Bros. Entertainment Inc.

攻撃に弱いんぢゃ」とか、ことファンタジー系作品ではおなじみの弱点描写。逆に、「○○は××だから△△が無効」みたいなのもよくありますよね。参考作品として紹介した『ONE PIECE』でも空島編にてゴロゴロの実の能力者・エネルの攻撃が、ゴムゴムの実の能力者・ルフィに効かない描写がありました〈写真**1**〉。

　こうした腑に落ちる弱点がある一方、意外なものが実は弱点というケースもよくあります。「絶体絶命のピンチ！」というときに弱点が発覚、一気に反転攻勢というのはカタルシスの面からもフィクションにうってつけ。たとえば日本では1997年に公開された『マーズ・アタック！』という映画では、タイトル通り火星人が地球に襲来し、人類に対して遊び半分でやりたい放題します[2]。絶望的な状況下、とあることで火星人の弱点が判明するのですが……その弱点がなんとヨーデル！　火星人はスリム・ホイットマンが歌う「インディアン・ラブ・コール」という曲[3]を聞くと脳みそが破裂してしまう弱点を持っていたのです〈写真**2**〉。そこで、「インディアン・ラブ・コール」を大音量でかけまくり一発逆転。めでたしめでたしというお話でした。

2）謎の光線銃で人類虐殺しまくったり、犬と飼い主をさらってそれぞれの首と胴体を入れ替えて人面犬と犬面人を作ったりする。キッチュでポップな作風は、まさしくB級SF映画。本文でネタバレしているけど、それはそれとして楽しめるので気になる人はぜひ！
3）「インディアン・ラブ・コール」はカントリーミュージックの名曲で、さまざまな歌い手によるバージョンが存在する。そのなかでもヨーデルで歌いこなすスリム・ホイットマンによるものが広く知られており、『マーズ・アタック！』内でも、採用された次第。

　ただ、意外な弱点も行きすぎるのはいけません。こうした例として挙げるのも心苦しいのですが、2002年公開の映画『サイン』を紹介しておきましょう。『サイン』も宇宙人が地球に襲来し、その弱点が最後の最後までわからず、人類が窮地に追い込まれます。で、ギリギリのところで偶然、宇宙人の弱点が判明する……のですが、なんとまさかの水！！！コップ1杯の水がかかっただけで死んでしまうのです。水が弱点の宇宙人がいっさい対策を講じずに水の惑星・地球にむき身で侵略しにくるとか、だいぶ謎です。実際、公開当時、この雑な設定は全方位から盛大なツッコミを受けることになりました[4]。

　このように弱点設計は物語のカタルシスとなる反面、設定が甘すぎると批判にさらされる危険もあります。相応の「科学的裏付け」を必要とする設定の1つと言えるでしょう。

　なお、夢のない話をすると、現実世界においては「□□は☆☆に弱い」「◎◎は♪♪に耐性を持つ」なんて理屈をこねくりまわさずとも「どんな生き物も銃で撃てば死ぬぜ？　ヒャッハー！」という身も蓋もない結論になります。属性なんぞ無関係で、白兵戦では銃最強！　that's all! thank you!　となってしまうわけです。ただ、これも今の地球の生態系の中でのお話であり、仮に宇宙からスライム的な液状生命体がやってきて弾丸をダイラタンシー現象[5]で受け止める……みたいな状況になれば銃は絶対王者の座を奪われること必定です。

クラシカルな弱点設定に関する分析

　さてここからは改めてフィクションにおける弱点について考えておきましょう。

　創作世界におけるメジャーな弱点保有者といえば吸血鬼が挙げられま

4）フォローするわけではないが、本作のテーマは"宇宙人襲来"ではなく、"信仰"や"家族愛"だとされている。厳しい意見も多いが、好きな人はたまらないようか。食わず嫌いせず鑑賞してみると、新たな世界が見えるかも？？？
5）非ニュートン流体という混合物は、ゆっくりと触るとただの液体だが速く触ると固くなるという性質を持つ。これをダイラタンシー現象という。前作『アリエナクナイ科学ノ教科書』第24講でも解説しているので、もし読んでいない人がいればぜひ！

す。夜の世界に生き、圧倒的な怪力と不死身さを誇り、ときに狼にとき
にコウモリにときに霧へと姿を変える吸血鬼。一方、メジャーがゆえに
弱点も広く知れ渡っています。十字架は西欧における規範の象徴と考え
れば、異端そのものな吸血鬼からするとダメなのはある意味当然。日の
光も、ナイトウォーカーと称されることもある吸血鬼なので納得できま
す[6]。そしてニンニク。スタミナのもとながら口臭注意な食べ物……と
なると「え？　これが吸血鬼の弱点なの？」と疑問を持つ人もいるでしょ
う。ただ、ニンニクはヨーロッパで薬草として用いられていたというバッ
クグラウンドがあります。そこから転じて魔除けの霊草として有り難ら
れていたそうです。

　考えてみれば、そもそも吸血鬼伝説は疫病の蔓延など、当時の科学で
は解明できなかった不可解な事象を説明するために発明された装置でも
あります。逆に言えば、文化的ないしは経験則的に「魔物に効くだろう」
と思われるものが吸血鬼の弱点になっていったわけです[7]。

　また吸血鬼を完全に殺すために、心臓に杭を打ち込むという作法があ
ります。たとえば『うしおととら』でも鏢が食人吸血鬼の心臓に杭を打
ち込んでいました〈写真**3**〉。霧になれる相手の心臓を破壊することに
は疑問がなきにしもあらずですが、ここでの心臓は命の象徴と捉えてい

〈写真**3**〉オーソドックスな吸血鬼退治をする鏢
『うしおととら』第8巻36ページより（藤田和日郎
／小学館／1992年）

るのでしょう。「いくら魔物だって心
臓を壊せばさすがに死ぬだろう……」
みたいな。

　部位破壊による打倒という観点か
ら、ゾンビについても考えてみましょ
う。「ゾンビを倒すには頭部破壊！」
これはお約束と言っても過言ではあ
りません。ゲーム『バイオハザード』

6）こうした弱点を前提に、"太陽光の克服"が悪サイドの目標になっていることも多い。具体的には『ジョジョの奇妙な冒険』や『鬼
滅の刃』など。そして克服してしまった超敵をどうするのか……という熱い展開にもつながる。
7）銀のナイフも吸血鬼の弱点とされるが、これも同様の考え方だろう。中世ヨーロッパでは銀の抗菌作用が科学的に解明できて
いなかったが、経験則的に把握していたため吸血鬼の弱点にされたということ。

シリーズでもゾンビへのヘッドショットは弾節約の基本。人気ゾンビドラマ『ウォーキング・デッド』では序盤ではゾンビ自体が脅威だったのが、シリーズが進むにつれハンドナイフや木の棒で気軽に頭を破壊してサクサクサクサク倒せるようになります。数体なら余裕だけど、数が多いと困っちゃう障害物みたいな扱いです（笑）。

　最近のトレンドは"何らかのウィルス感染"によって人間がゾンビに……という感じ。これを生物学的に解釈すると、ウィルスが強制的に遺伝子変化をもたらし、内側から別の生き物へと変化している過程、となります。こう考えると、彼らは中枢から抹消にかけてゴリゴリ組織再編成中ということ。変化していない末端たる手足などへのダメージは意に介さず、一方、強靭な別生物へと変化している体幹にはダメージが通りづらいという推論が可能です。ゆえに倒すためには心臓や中枢神経を破壊する必要がある、という解釈にもつながります。

　ということは、ひとつの仮説ですが、ゾンビに毒ガスが効く可能性も高そうです。生理機能が人類と違っても生命である以上絶対に毒性が発揮される物理毒、たとえば混ぜるな危険の塩素ガスを撒けばゾンビを一網打尽にできる……ということになるのですが、発想が完全に悪役のソレ〈第1図〉。主人公サイドに実行させるといろいろ差し障りがありそうなのが難点です。

〈第1図〉ゾンビジェノサイド中の善玉たち

長所は短所？ 脅威を弱点にするという創作的カタルシスの作り方

　フィクションにおける弱点は、作者が自由に設定すべきもの。別に何が弱点だって構いません。ただ、現代科学をベースにした方が、受け入

れられやすいという面があるのも事実です[8]。

　筆者が愛読するマンガ『銃夢』[9] は、機械や生命体をも取り込んで暴走するバーサーカー細胞という機械有機生命体があり、バーサーカー細胞が不死身の怪物を生み出す……という世界観を構築しています。そして、バーサーカー細胞に対抗する専用の崩壊プログラムが開発されており、弾丸で撃ち込めば勝てるという弱点を設定化。ただ『銃夢』はそれで終わらず、撃ち込めるか否かというドラマを硬度という科学観点から紡ぎ出したりしています。その他にも"科学的裏づけをした弱点"を上手く物語に織り込ませており、"SFマンガの最高峰"と言われるのは伊達ではありません。

　科学的な弱点設定は"敵＝特定の技術"とするところがスタート。そのうえで"特定技術の大敵""特定技術を上回るもの"を用意し、敵の弱点とするわけです。ここでのポイントは、弱点は大きなフレームワークとして用意すべきということ。たとえば、"電磁ノイズ"を武器にする敵が登場するとします。電磁ノイズ氏を倒さねばならない主人公ですが、「コイツが使っている電波帯域は××だ！　だからこっちがこの周波数を……」みたいに細かすぎると、たとえ理屈が通っていてもエンタメ性が爆下がり。それよりも、大量の粉塵が大気中に撒かれると電波障害を起こす現象[10] を利用するなどして、大胆に電磁ノイズ氏を打倒するほうが熱い展開を構築可能です。ほかにも金属粉や金属製の網で覆って電波封鎖を行うという手法も考えられるでしょう。

　相手の特性を逆手に取って弱点として突く、そしてその方法を模索したり戦いの中で見出したりする……これがドラマになるわけです。

　別にこれは小難しい理論がなければ成立しないわけでもありません。古い映画になりますが1990年公開の『トレマーズ』では、グラボイズ

8）あまりに複雑すぎたり、理解しがたいほど難解すぎたりすると、たとえ科学ベースであっても共感を得られなくなってしまうので注意が必要。

9）2019年に封切られた『アリータ：バトル・エンジェル』は『銃夢』を原作にするハリウッド映画。いろいろとネガティブな情報が多く、爆死だなんて散々言われた。確かに制作費約1億7,000万ドルに対し、アメリカでの興行収入は約8,500万ドルと制作費の半分程度だが、世界興行収入は約4億500万ドルとなっている。

10）1991年に起きた雲仙普賢岳噴火の際、火砕流が発生して火山灰が撒き散らされると周囲の無線機器が使用不能に陥った。空中に干渉するものが多いと、電波はまともに使えなくなってしまう。

という地中を移動し人を襲い丸呑みするモンスターが登場します〈写真4〉。グラボイズは振動を感知して標的を定めるのですが、作中ではわざと大きな振動を起こして誤誘導。また罠に爆弾を仕掛け、丸呑み後に内部から爆破するという撃退法が編み出されました[11]。振動というありふれたものでもちゃんとドラマが描けるわけです。

〈写真4〉映画はシリーズ化して6作品存在する

　いずれにせよ、敵との戦いを描く作品では冷静に相手を分析し、「だからこの手で行こう」と物語を紡いでいくのが王道の展開となります。これは戦いに"知性"を加えるエッセンスとして機能しているとも言えるでしょう。偶然流れたヨーデルで脳みそが爆発しちゃうという知性ゼロの展開も、これはこれでフィクションならではの展開でありますが（笑）。

11）B級モンスターパニックでは、弱点を突いてまとめて爆破というのはテンプレになっている。

第20講

貴方が見ている世界を私は見ている状況を上から見ている？

ザ・メタ世界観

参考作品 ▶▶ **古畑任三郎**

1994年にスタートしたフジテレビ系列の刑事ドラマ。刑事コロンボをモチーフにした、倒叙推理ものとして描かれる。ドラマ冒頭と推理開始前に古畑任三郎が視聴者に対して語りかけるという手法が採られた。

▶メタ世界観を扱う作品群
－－－

　フィクションの登場人物が、その世界のフィクション性に気がついている作品パターンがあります。世界の成り立ちに気がついてしまったが故に神となる、読者やプレイヤーに語りかけてくる……いろいろな表現手法がありますが、特徴としては受け手に作品世界と現実世界の境界を曖昧にさせる作用があると言えるでしょう。こうしたパターンの作品群をメタフィクションと総称します[1]。

　なお、メタ構造にも軽重が存在。参考作品の古畑任三郎での語りかけや、アドベンチャーゲームでたまに見かける「会話が長いなと思って飛ばしたい時はＡボタンを押すんじゃよ」みたいなものは軽いパターンです。ほかにもギャグマンガで登場人物が作者と会話したりするパターン、具体的には鳥山明がロボット姿で登場するのも典型的な例と言えるで

1）メタとはギリシャ語の「より次元の高い〜」「より高みの〜」といった接頭語。フィクション（虚構）を踏み越えて現実に手をかける感じから、メタフィクションと言われる。

第20講　ザ・メタ世界観

〈写真1〉作者が登場人物に相談する典型的なメタ構造
『文庫版Dr.スランプ』第3巻278ページより（鳥山明／集英社／
1995年）

しょう〈写真1〉。一方で、作品の根幹がメタ構造であるケースもあります。丁寧に伏線が貼られ、物語終盤で作品世界がメタ構造であることにより、一気にカタルシスを迎えるようなものは例として挙げるだけで台無しになってしまいかねません[2]。

　ただ、メタ構造は必ずしも"創作者の仕掛け"だけではなく、受け手側からのメタ構造もあります。たとえばゲームで「このキャラは目立たないモブみたいなものなのに大物声優がキャスティングされている……。あとで裏切ってラスボスになるんだろう？」とか、ミステリ映画で「いかにも怪しいコイツだけど、尺を考えると犯人ってことはないな。つーことはコッチが本星か？」とか、物語の筋からではなく、制作サイドの都合から展開を読み解くことは身に覚えがある人も多いのではないでしょうか。これも一種のメタ構造です。

　また、寝ているときに見る夢。これは自分で作った自分のためのフィクションです。夢のなかで「あれ、これって夢ぢゃね？」と気づくことがまれにあります。いわゆる明晰夢です。明晰夢は上手くコントロールすると夢の世界なので、なんでも自分の思い通りにできてしまいます。

　本講では、さまざまなメタ構造について思索を巡らせていきましょう。

メタフィクションの具体例：どんな世界観なのか

　舞台となる世界の1段上を認識してしまうことで、世界そのもののルールを覆すメタ構造。やはり具体的なほうが理解が進みます。作品の

2）冒頭部の作品群を記載していないのはこのため。2019年夏、某局某番組にて某芸人がメタ構造を含む名作ゲームのネタバレ紹介をして炎上したことも……。その番組においては最大限の配慮がされたうえのネタバレだったのだが「アイツが○○のネタバレをしやがった」となってしまった。

世界を阻害しない程度でいくつか紹介しておきましょう。

　まずは映画『マトリックス』。本作のベースになっているのがスウェーデンの哲学者・ニック・ボストロムが提唱したシミュレーション仮説です。これは、この世は高次元の知性体ないしはコンピューターによるシミュレーションの可能性が高いというもの。『マトリックス』はこの考え方をSFに昇華し、「世界はすでに滅ぼされており、人類はコンピューターに電力を供給するための電池として巨大バーチャル世界で飼われている」という設定を作り上げました〈写真**2**〉。

〈写真**2**〉燃料扱いされる人類
『マトリックス』より

〈写真**3**〉プレイヤーの存在を語る登場人物
『ファイナルリクエスト』第10話より

　また『ファイナルリクエスト』というマンガ動画は、忘れられたゲームカセットの中で目を覚ました一人のキャラがバグによって滅び行く世界を旅するという作品です。本作では、キャラがプレイヤーの存在を認識するというメタ世界観を出して話題になりました〈写真**3**〉。

　さらに、『百万畳ラビリンス』というマンガも謎解きとメタ世界観を凝縮したSF作品です〈写真**4**〉。いろいろ語りたいので

〈写真**4**〉上下巻でコンパクトにまとまっている

すが、少しでも解説すると盛大なネタバレになってしまうので自重。すごい作品なので、気になる人はぜひ読んでみてください。

広く捉えたメタ作品：ループものもメタと認メタ

さて、メタ作品。広義で考えると自分自身の世界が繰り返され、そのことに気がついているパターン。いわゆる"ループもの"も一類型と言えるでしょう。

ループ世界では、一定の時間経過の繰り返しの中に閉じ込められて、なんらかの脱出方法を探すまで死のうが物理的に逃げようが、リセットされてしまいます。古い作品ですが、『恋はデジャ・ブ』という映画はループものとしてよく名前が上がる作品です。本作のループ期間は１日で、主人公が延々と繰り返される１日のなかで街のすべてを把握する人間になっていきます[3]。

2011年に放映され一世を風靡したアニメ『魔法少女まどか☆マギカ』でも、ループそのものが作品の大きな鍵として描かれていました。いずれもシナリオは技巧的なものが多く、作者の腕の見せ所といった感じもします[4]。

また、ループものはゲームとの相性が抜群です。『シュタインズ・ゲート』や『この世の果てで恋を唄う少女YU-NO』をはじめ、ストーリーとループシステムを巧みに絡めた名作も数多く存在します。最近は、主人公どころか、その世界の登場人物が、メタ世界であることを認識しているという異質な作品が人気を博しました[5]。

メタ世界の構築：軸ヲ定メタ設定ガ必要ニ

メタ作品は、２つの世界観が１つの創作世界に展開するというのが特徴です。

２つの世界観の関わり方も、❶フィクション⇔リアルワールド、❷フィ

3）原題は「Groundhog Day」という。Groundhog Dayは北米で毎年２月２日に催される行事のこと。1993年に封切られた本作は、文化的・歴史的・芸術的に重要なフィルムを保存する制度であるアメリカ国立フィルム登録簿に登録されている。
4）テレビアニメ版『涼宮ハルヒの憂鬱』第２期では、ほぼ同じ展開を８週にわたって放映した。全28話のうちの８話をループものに費やす豪快な決断は物議を醸すことに。
5）ネタバレになってしまうので、作品名は伏せさせてもらう。

クション⇔フィクションという2軸があります。❶の場合は読み手がメタ構造に直面し、❷の場合は作品内のメタ構造を読者は俯瞰することになります。さらにフィクション⇔フィクション⇔フィクションや、フィクション⇔フィクション⇔リアルワールドなど、多軸メタ構造もあるでしょう[6]。作り手視点に立つと、まずはどの軸でお話を進めるのかという選択をしなければなりません。

またメタ世界は科学とは基本的に無縁の、まさしく"創作設定"です。それだけにいくつか注意すべきポイントがあります。

まず大物の設定はメタ構造に絞った方が良いでしょう。同時多発的にファンタジーな設定をドカドカと入れると、なんでもありなご都合感が出てしまいます。また大物の設定だけに、ルールの明確化は必須です。たとえばループもので、ループ発生のルールがあとからどんどん加えられたりするとこれまたご都合感が尋常ではありません[7]。

次に、メタ世界は外側の箱、内側の箱という2層構造であるとしっかり認識しなくてはなりません。外側と内側の論理がごっちゃになると、設定矛盾に直結します。ここでも軸がぶれないようにする必要があるわけです。

メタ世界ハジメタイ！：現実にメタ展開はありえるか？

さてここまではメタ世界は設定という前提で、フィクションとのかかわりについて解説してきました。最後に視点を変えて、メタ世界が実在するとすればどういった科学的裏付けがあればよいか、を考えていきましょう。

現在の物理学では、過去に戻ることは不可能です。ただ理論上、観測は不可能ではありません。ご存知のとおり、1光年は光の速さで1年か

6）多軸構造を採用すると話が複雑にならざるを得ず、読み手からすると読解が困難になる。書き手の力量が問われるだろう

7）これはメタ構造に限らない。そして作品がある程度のボリュームになると結構陥りがちである。超典型例としては、序盤では強敵として描かれていたのが作品長期化に伴いモブキャラorザコキャラ化するケース。ほかにもRPGなどで"誰も帰ってきたことがないルート"とされていたのが、気がつくと"ただの道"扱いになっているなんてのも起こりがちだ。

〈第1図〉ワープによる過去観察の仕組み

かる距離のこと[8]。まず、ワームホールでもなんでもいいので1万光年離れた適当な星（以下、星A）にワープしましょう。このとき忘れてはいけないのが1万光年先の地表までバッチリ見える超高性能望遠鏡です。星Aについたら超高性能望遠鏡をセッティングして地球を観測します。惑星Aに地球からの光が届くのには1万年かかるわけですから、望遠鏡に映るのは1万年前の地球の様子。紀元前8000年ころといえば日本は縄文時代です。縄文土器をこしらえる様子が観察できるかもしれません〈第1図〉。

　ワープ先＆望遠鏡の細かい調整ができるようになれば、約260億キロ離れた星から1日前の恋人の振る舞いを確認したり、6500万光年離れた星から恐竜絶滅の様子を確認したりもできてしまいます。ややトリッキーですが、これもメタ構造の一種と言えるでしょう。

　もうひとつ考えられるのはメタ世界がヴァーチャルなものだったというケース。VRも進化しており、たとえば『サークルオブセイバーズ』はまさしくファンタジーRPGの世界に飛び込むVRゲームです〈写真5〉。

〈写真5〉剣と盾と魔法で戦う「サークルオブセイバーズ」
『サークルオブセイバーズ』公式サイトより

8) 馴染み深い単位で表記すると、約9兆4607億キロメートル。2019年、新幹線の高速実験においてN700Sが時速362キロメートルを記録した。フルスピードの最新新幹線で24時間365日ぶっ飛ばしたとして、1光年先に到着するには約300万年かかる。遠い。

〈写真**6**〉まさに"実写のような"ゲーム画面
出典：https://www.youtube.com/watch?v=
sctUtDoFLms&feature=emb_logo

同作では直径１メートルほどの魔法陣の中で戦う仕様ですが、さらなる進化は期待できます。また昨今のPCゲームグラフィックは、そろそろ実写と見間違ってもおかしくないレベル。MODを導入したPC版『GTA Ⅵ』など、相当なものです〈写真**6**〉。進化版VRと組み合わされると『マトリックス』の世界も、もうそう遠くはないだろうと感じてしまいます。

　ということで前提となる環境は整ってしまいそうですが、大きな課題がひとつ。VRゲームでは、当然ながら「よっしゃ、いっちょVRゲームプレイしちゃろーかね！」と、仮想現実の世界に自ら飛び込んでいくわけです。ですからシステム上、さまざまなルールが課されても問題ありません。しかしメタ構造では、ひとびとはそれを"本当の世界"と思う必要があります。一方、人の思考なんて自分でも完全には制御できないカオスなもの。「今日のお昼はパスタとラーメンどっちにしよう？　よし、カレーに決めた！」なんて無茶苦茶な展開も別に珍しくありません。また、人の会話というのは理路整然としていることなどあまりなく、かなりとっちらかったやり取りになることも日常茶飯事です。モブキャラがいる場合は、そこにも違和感なく応じる必要があります。箱庭系ゲームではロックが掛かっている場所に行こうとすると、「この先には進めません」と表示されたり、イベント時であれば「今はこんなところに行ってる場合じゃない！」とか勝手にセリフが出たりして侵入を防ぎますが、メタ世界でこんなことが起こったら一瞬でVRだと発覚すること請け合いです〈第2図〉。

〈第2図〉ゲームでの対処はメタ世界ではNG

　人類の思考に伴う、突発的なイベントの連続にヴァーチャルなシステムは対処できるのでしょうか？　フィクションでは人類を遥かに超える宇宙人や暴走した人工知能などによってシステムは管理・維持されますが、現状のわれわれの科学技術では言うまでもなく不可能です。

　ただ、電子１つの振る舞いまでシミュレーションできるまでにテクノロジーが進めば、"人の思考"に完全予測し対応するヴァーチャルシステムが実現可能になるのではないかと言われています[9]。

　ようするに人間の思考さえ、超演算能力の世界ではリアルタイムでシミュレーションできてしまうわけです。そう考えると、今、この本を開いているアナタも、実は"科学技術が微妙に発展した世界でアリエナクナイ科学ノ教科書２という書籍を読んでいる"という仮想現実を与えられた、謎の機械装置に脳だけプカプカ浮かんでいる存在という可能性も決して否定はできません〈第３図〉。

〈第３図〉今のアナタがメタ構造の渦中にいる可能性も……

9）その一方で「事象は確率で分散するため、完全なる予測は不可能」という説もある。

続・悪魔の
科学用語辞典

【あ】

愛　地球上に偏在しており、あらゆる物質と干渉相互作用を持つ。しかしながら、観測が極めて難しく暗黒物質の1つ。インターステラー的には時空を超える5次元的なものらしい。5次元の本棚の後ろからどうやって帰ってくるのか……。それも愛という超物質の影響であり、ご都合設定ではない。

アイスジャム　狭い海峡や谷が凍結によって詰まった状態を指す。

アクアレギア　金をも溶かす硝酸と塩酸の混合酸である王水のこと。

アクチン　筋繊維の収縮活動をミオシンとともに行う筋タンパク質。「アクチン！　ミオシン！　我に力を！」死ぬとアクトミオシンという美味しい物体に変わる。

アステロイドベルト　宇宙モノSFにおける頻出用語。小惑星（アステロイド）がいっぱい飛んでいる宇宙空間を指すことが多い。

アテローム　皮膚の下に袋状の構造物ができ、本来上皮になるはずだった組織がダマになって腫瘍状に成長するもの。

アドレナリン　エピネフリンのこと。

アナモルフ　真菌の分類上有性生殖のステージが未発見の種における不完全な世代がアナモルフである。冬虫夏草のキノコ部分などが該当。有性生殖を行う世代を、テレオモルフと呼ぶ。

あばばばばば　漲ってるときやテンパってるときに発する奇声のひとつ。

アマルガム　水銀は常温で液体という極めて不思議な金属で、その性質から多くの金属を溶かし込んで合金にされた。通常、異種金属を混ぜ合わせるには何百℃何千℃というイケイケな温度が必要になるのだが、水銀は常温で液体でイケイケという特徴を有する。金でさえ溶かすことが可能で、そうした合金をアマルガムと呼ぶ。

アラン・ヒルズ84001　火星由来の隕石の1つで1984年に南極で発見された。まず火星への大規模隕石衝突があり、その破片が地球に来たという極めて珍しいもの。NASAによると36億年前の火星の岩石であるらしく細菌の化石のようなものも見つかったが確証は得られていない。

アルバトロセン　巨大で左右対称なポリフェニル多環芳香族炭化水素。その姿が、アホウドリ……英語でいうところのアルバトロスを連想させることから名付けられた。カッコイイ化合物だが、使い道はよくわからん。

アルミニウム　実は地球上にめっちゃ多い元素であり、なにげに炭素や鉄よりも多い第3位にランクインし

ている（ちなみに1位は酸素、2位はケイ素）。しかし酸化しやすいため金属としては産出せず、資源となる金属アルミニウムは貴重。元々は染色定着液に用いられるミョウバン（硫酸アルミニウムカリウム）として知られていた。ミョウバンはラテン語でアルーメンといい、またラテン語にはたまたま「光を持つ」という意味のアルーミネという単語があったため、「マジこれ、運命じゃね？」ということでアルミニウムと命名される。

アレオーレ 刺座のこと。サボテン科とそれに類似したユーフォルビア科を見分けるのに大事な、トゲの付け根にあるフカフカを刺座という。フカフカがあればサボテン、フカフカがなければユーフォルビアとしてだいたいOK。

暗流（暗電流） 大気中や雨雲、火山灰などの中では荷電粒子が発生し、そこに極めて微弱な電流が流れている。存在はするものの視認できないため、暗流と呼ぶようになった。

【い】

磯焼け 海の養分量の急速な変化によって海藻の生い茂る藻場が消えてしまうこと。

イントロン m-RNAが翻訳されるときに削除される部分。麻雀用語ではない。

【う】

宇宙エレベーター 静止衛星軌道からロープを地球に垂らし、地球の遠心力と釣り合う感じで建造される宇宙行きエレベーターのこと。建材と工学的な問題、予算的な問題、赤道付近に設置するしかないなどの場所的問題などがあるが、人類が到達できない未来のテクノロジーというほどでもない。

宇宙開闢 キリスト教的なビッグバンの訳。開闢は"かいびゃく"と読む。おぼえておこう。

宇宙焼け 宇宙空間は大気がない分、減衰しない放射線を浴びることに……。するとたった10秒ほどで日焼けが始まる。なおあまりにも放射線がハイパワーすぎるため、目をつぶっていても強烈な光を感じてしまうそうな。

ウミユリ ウミシダなどの植物っぽい棘皮動物（ウニやヒトデを含む門）。プランクトン期の名称がドリオラリア、シスチジアン、ペンタクリノイドと無駄に強そう。

ウラシマ効果 物体は光速に近づくほど時間がゆっくり流れるという特殊相対性理論に基づいた現象の通称。英語圏ではRip van Winkle（リップヴァンウインクル）効果という。Rip van Winkleはアメリカの短編小説で、日本における浦島太郎と同じような物語。

【え】

エキシマー　電子的な励起状態にある原子や分子が他の原子、分子と高エネルギー状態でのみ一瞬生じる分子のことを指す。Excited dimer（励起二量体）の略。有名なのはキセノンと塩素の化合物。波長の短い光（紫外線より小さい）を作るのにエキシマーが有効で、集光してエキシマレーザーというものもある。

エクトロメリア　ネズミにのみ強烈に起こる奇肢症かつ致命的な病気。天然痘のウイルスの近縁。そうした性質に着目し、ネズミ以外への感染は重症化しにくい。ネズミ集団駆除のために生物農薬として使われることもあったが、速やかに抵抗性を持つ個体群が出現し、一時的な抑制にしかならない。

エピネフリン　アドレナリンのこと。

エルニーニョ/ラニーニャ現象　海水温の分布がおかしくなる例のあれ。

エンボラス　embolus。塞栓（そくせん）のこと。

【お】

オイラーの円盤　ディスクを回転させてそれが収束していく様を観察する物理現象おもちゃ。

オーセチック　Auxetic。メタマテリアルの一種で、本来は「肥大を促進する」という意味だが、繊維において「縦に引っ張ると横にも膨らむ」という本来とは逆の動きをするモノに使う。いわば未来の新素材。フィクションではメタマテリアルとあわせて「このサイボーグの筋肉はオーセチックメタマテリアル科学の結晶である」みたいに用いよう。

オーニソプター　「羽ばたき式飛行機」「鳥型飛行機」など。翼を羽ばたかせる事で推進力や揚力を得る飛行機のことを呼ぶ名称。ラピュタに出てくるハエ型小型飛行機など。

オーリクラリア　Auricularia。水生生物の多く、特に海洋生物の幼生期には独自の名称が付いていることが多く、オークラリアはナマコなどの幼生の名称。ただ、広義ではウニのプルテウス幼生、ヒトデのビピンナリア幼生やブラキオラリア幼生、ギボシムシのトルナリア幼生などもオーリクラリアと呼ぶ。

オルゴンエネルギー　SFで多用される未知のエネルギー。旧ドイツから亡命した精神医学者ヴィルヘルム・ライヒが提唱した性的絶頂のオーカズムから来ている、いわば精神エネルギーのこと。なお、本人は発見したと言ってるが証拠はない。「気」と概ね同じと考えよう。

【か】

カーシノゲン　carcinogen。発がん性物質。

外線 内線／外線。通常多くの施設は内線電話のみで外線には出れない仕様を採用（国際電話などをかけられるとヤバいから）。が、出れる施設はちょいちょいあり、いろいろな悪事に使われる。

ガウス網目構造 ガウス関数に従う高分子構造。

カテナリー曲線 ロープなどを垂らしてできる自然なU時曲線。

ガルガンチュア 映画『インターステラー』に登場するブラックホールの名称。2019年4月に日米欧の国際連合研究チームが世界中の望遠鏡の情報を連結し、地球を大きなレンズとする感じで初めて撮影に成功した。観測された質量は太陽の65億倍らしい。宇宙すげえ。そしてインターステラーあってた。

ガルバリウム鋼板 アメリカのヘスレヘムスチールという格好いい名前の会社が開発した格好いい名前の鋼板。アルミと亜鉛の合金で防食性が強いので、外壁材などでよく使われている。

ガレ 山用語。土砂崩れなどでできたエリアで岩地で石が乗っているだけの不安定な土地、また岩だらけで歩きにくい場所をガレ、ガレ場、ガレ地などと言う。ちなみにガレはだいたい拳くらいのサイズのものを言い、もっと小さいサイズになるとザレと呼ぶ。

【き】

キサンチン色素 合成赤色色素の多くが含まれる。

寄生 生物間の一形態であり、共生関係ではなく片方が利益を得ている、またはホストが被害を受けているものを寄生と称する。　例：飲食店を宿主とする、食べ●グは片利寄生。

吸虫 扁平動物の寄生虫の1種。生活環での名称が、ミランジウム、スポロシスト、レジア、セルカリア、メタセルカリアとまったく形も異なる不思議な形態を取ることで知られる。いちいち名前がカッコイイ。

共役塩基－共役酸 ブレンステッドの酸塩基理論において水素イオンを受け取る側と放出する側。たとえば抗ヒスタミン剤のベタヒスチンメシル酸塩ではベタヒスチンという物質は塩基のままだと不安定で薬として使えないのでメシル酸で安定塩にして薬にしてますよ……ということ。薬としては共役酸は仕事してないことが多いよ。

局所的熱力学的平衡 熱は放散していくものなので平衡することはない。だが、全体の一部においてそれが成り立つことがあり、その部分を指す。

【く】

クエンチ 超伝導物質が超伝導状態から常伝導状態に戻ることをクエン

チと呼ぶ。それ以外にも、エネルギーを伴う現象が急速に終了する状態に移行することをクエンチと呼んだり、蛍光の強度が低下する過程を示すクエンチングをクエンチと呼んだりもするので誤用が多い。

クォンタムレビテーション 「第二種超伝導体」がマイスナー効果によって浮上し、ピン止め効果（ピンニング）を発動している状態。

クッパー細胞／クップェル細胞 肝臓の血管内に存在する微小組織で蟻地獄のように血管内に漂う異物を回収する捕食細胞。

クラインの壺 位相幾何学における表裏のつながった壺のこと。表裏のつながったメビウスの輪の進化形。

グランドスラム バンカーバスターの前身で第二次世界大戦後期に対建造物兵器としてイギリス空軍に配備された。

【け】

K／T境界 白亜紀の終わりに隕石が衝突し恐竜が絶滅したとされるきっかけを象徴とする希元素イリジウムを多く含む地層の境界線。現在は定義の見直しが行われ、年代も6500万年前から6600万年前と改められK／Pg境界となっている。

ケスラーシンドローム 地球の衛星軌道上におけるスペースデブリ（宇宙ゴミ）が大量になりすぎるとデブリがデブリを作り、さらに人工衛星などを破壊し尽くしすべてが使えなくなり、地球外への人類の進出さえ阻むようになるというシミュレーションモデル（宇宙ゴミの追突速度は凄まじいため）。人工衛星破壊実験などでこの状況に近づきつつある。アメリカ航空宇宙局（NASA）のドナルド・J・ケスラー氏の名前を取ってケスラーシンドロームと呼ばれるが、ケスラー氏自身はcollisional cascadingと呼んでおり、自分の名前を冠した言葉は使っていない。

血洞系 読み方は「けっとうけい」。ウニなどの棘皮動物に見られる循環器系。

ゲノム DNA上の遺伝子情報の総称。

幻氷 遠くの流氷が蜃気楼として接岸してきているようにみえる様。オホーツク海などで見られる。

【こ】

光電効果 光を当てたときに電子が飛び出す現象のことで、紫外線など波長の低い電磁波を浴びた原子から電子が飛び出す。波長の長い赤外線などでは起きない。故に少ない日差しでも紫外線では日焼けし、強い日差しをガラス越しで浴びても熱を感じても日焼けしにくい（ガラスは大半の紫外線を止めてしまうため）。

ゴールドシュミダイト 地味な黒い

鉱物だが地下170キロメートルあたりのマントル上部の超高圧環境にてダイアモンドが生成される際、ダイアモンドに内包されて生成されるレアな鉱物。近代地球科学の父・鉱物学者ヴィクトール・モーリッツ・ゴルトシュミットにちなんで名づけられた。ニオブ、カリウム、ランタンとセリウムなどによって構成されている。

混合ロスビー重力波 大気循環を演算する際に用いられるモデル。

【さ】

サイトカイニン 植物ホルモンの一種で未分化の細胞塊、カルスの誘導などに使われる。サイトカインと名前が近いので混同されやすいが全然関係はない。

サイトカイン 多くの細胞から分泌されて細胞の表面の受容体に入り、組織の再生や状況の伝達などをする局所的なホルモン様物質のこと。植物ホルモンのサイトカイニンと名前が似てるが関係はない。

サルコペニア 加齢による体重減少。ギリシャ語の筋肉「sarco（サルコ）」と消滅「penia（ペニア）」を合わせた言葉。

【し】

シーバーン 過去はNBC兵器というのでおなじみだったが、現在こちらにとってかわった。化学（chemical）、生物（biological）、放射性物質（radiological）、核（nuclear）、爆発物（explosive）兵器の頭文字を集め、CBRNE（シーバーン）とくくったわけである。

塩 該当の原子、ないしは分子より陽性な分子や原子にはりついて（通常）安定化したもの。～塩という状態にすることで、多くの薬剤なども安定化するため、薬剤の名称になんとか塩酸塩とか硫酸塩といった形で目にする。麻薬の製法でも意外とここが大事だが、語られることが少ないため、腕の悪いアングラケミストが失敗しがち。

糸状乳頭 猫の舌のザラザラ。

シノニム 学名は発見者が付ける権利がある。それがあとになって、分類上間違っていた場合、ただの亜種であることが分かった（ホモニムという）場合でも、最初の学名が慣習的に残ることがある。学名の横に全然違う名前が括弧つきで載っていたりするやつ。

シュリーレン現象 屈折率の異なる流体の境界面がもやのように見える現象。水に濃いシロップなどを溶かしていく場合などに確認できる。衝撃波の観察などにシュリーレン法を取り入れたカメラがある（シュリーレンカメラ）。

シンセノイド ナノマシンの集合体に

よる人間擬態型アンドロイド。『ターミネーター２』のT-1000型などがそれにあたる。

【す】

スカラー 大きさだけを持つ量を示す値のことで、向きが加わったものがベクトル。

スプライシング 真核細胞でのみ起こるメッセンジャーRNAからイントロンやエキソンが除去されて完パケされること。内容によっては選択的スプライシングもあり。この一連の動作から映像分野でも完成映像をつなぐことを示す。

【せ】

ゼロ除算 実数を０で割るという振る舞い。プログラム上ではエラーの元となりやすいため、「〜〜はゼロ除算として考えよう」という感じで、意味の無い、飛ばすべき案件として使うこともある。

セントエルモの火 古来より高い建物や船のマストなどで嵐の前後に観測されることのある発光現象。詳しい原因は不明だが、大気条件などから尖った部分からコロナ放電が起こっていると考えられている。

【そ】

ゾエア エビ、カニ類の生まれたてのプランクトン期の名称。脚もまとも

にない状態をゾエアというが、脚が生えそろってくるとノープリウス、プロトゾエア、メガロパ、フィロソマなど名称が変わる。

【た】

tert-ブトキシカルボニル基 アミノ基の保護基の１つで、分子構造を変える際に反応性の高いアミノ基を保護するのに使われる。ほかには9-フルオレニルメチルオキシカルボニル基アリルオキシカルボニル基などがある。この辺のがまた保護器として麻薬に導入されると……いたちごっこ。なお、tert-はターシャリーと読むぞ。

ダイクストラ・アルゴリズム 現在のカーナビなどで使われる、最短距離を計算するためのアルゴリズムの１つ。

大量破壊兵器 WMD（Weapons of mass destruction）の直訳で、対人・対物で圧倒的な火力を持った兵器のこと。通常、生物兵器化学兵器も含まれるが、核兵器に匹敵する爆撃型ミサイルや爆弾が実在するので、定義はかなり政治的な適当さじ加減で決められる。

【つ】

ツァーリ・ボンバ 旧ソビエトが行った人類史上最大規模の核実験に使われた数十メガトン（TNT換算）爆弾で原子爆弾で水爆（核融合爆弾）を

起爆し、さらにそのエネルギーで外周の巨大なウランの核分裂を起こす多段核兵器で広島型原爆の数十倍の威力であり、衝撃波は地球を3周したとされている。とんでもないEMPも発生させるため、現在やると世界中のコンピューターインフラが爆発。それでも実験時は威力を抑えられていた。いろんな意味でこれを超える核実験はおそらくない。

【て】

D進 「でぃーしん」と読む。大学院博士後期課程への進学のこと。博士号を取得するために日夜研究室に閉じこもり、「あれ、こないだ日光を浴びたのはいつだったっけ?」と時空の狭間に黄昏れ、場合によっては死に至る。

デイジーカッター アメリカ軍のバイヤーすぎる航空爆弾。日本語で言うところのペンペン草も生えないという意味の超熱量破壊兵器。酸化エチレンとジメチルヒドラジンを主剤とする燃料気化爆弾で非核兵器としては最強の威力を誇る。現在はMOAB（モアブ。Massive Ordnance Air Blast）にアップグレードされている。ちなみにロシアは対抗してFOABというよりパワみを増した航空爆弾を製造している。

テランジ=エクタシア 毛細血管拡張性失調症。正式にはAtaxia telangiectasia。数万〜10万人に一人のレベルで起こる難病。

【と】

トポロジー最適化 従来の設計工学にとらわれずに部品を設計する技法の1つで、3Dプリンターの発達や加工機の高度化によって可能となった。しかしながら、どんな機械もエイリアンのH・Rギーガー風のデザインになってしまうというキモリティが出る。

トラクトリックス 直交座標方程式。

【ね】

熱水鉱床 地熱と地圧で数百度といった温度になった水に岩盤中のさまざまな成分が溶け出し、地上ではありえない反応が次々と起こり、その結果、貴金属や有用金属などが鉱脈として残ること。

熱的死 孤立系のエントロピーは増大するという熱力学第二法則に基づき、宇宙は均一にエネルギーが分散した最終状態へと向かっているというものの説明に使われた言葉。1854年にヘルムホルツが提唱した。

熱力学第二法則 エネルギーは質の高いものから質の低いエネルギーへと放散していくというこの宇宙の法則の1つ。クラウジウスの法則、オストヴァルトの原理などの中二用語がいっぱい出てくる。ちなみにもちろん第一法則、第三法則もあるが、B級映画の定番のように零番法則があるぞ。

【は】

パーミュテーション　数学の順列で出てくるPのアレ。Cはコンビネーション。

ハイス　高速度鋼。ハイスピードスチールの略。クロム、タングステン、モリブデン、バナジウムなどの他の金属元素を通常の鋼材作りより多量に配合し作ることで高温状態での強靱さに対応させている。ドリルや切削バイトなどの金属加工用の金属鋼材としてよく知られている。

ハダリー　1886年に発表されたフランスのヴィリエ・ド・リラダンによるSF小説「未来のイヴ」中に登場する絶世の美女を模した人造人間。

バックビルディング現象　積乱雲が連続して発生し、雨雲がその風下に供給され続けることにより雨が無限に降りまくる現象。

バレル研磨　回転する樽（バレル）に研磨したい対象を入れて研磨剤や研磨用ボールなどと一緒にガラガラ廻して研磨すること。工業製品のバリ取りや表面研磨などをまとめて行うのに使われる。

パワエレ　高電圧工作。楽しいがうっかりすると死ぬ。

【ひ】

ヒスイ氷山　南極で見られるエメラルドグリーンの氷山のこと。エメラルド氷山とも。長い年月をかけて雪が圧迫されて氷河の底で生成される気泡の少ない氷は波長の長い光（オレンジや赤など〜赤外線）は吸収されてしまうため、反射されて出てくる光が青になる。この際、土が氷に混ざっていると反射光が少し変わり、緑の領域まで反射するためエメラルドグリーンになる。

ビダー器官　カエルなどの両生類に見られる卵巣の痕跡的な器官。人間の盲腸のように役に立ってるのかどうかわからない系器官。性別の曖昧な宇宙人には、もしかするとあるかもしれない。

ビッグブラザー　英国の作家ジョージ・オーウェルの小説「一九八四年」で描かれる独裁者。そこから国民を過度に監視する存在自体を指す用語として使われることもある。

ヒルベルト空間　線形代数や微分積分のユークリッド空間を一般化したもの。

【ふ】

ファフロツキーズ現象　空から本来アリエナイものが振ってくること。空からの落下、すなわちFalls From The SkiesをFAFROTSKIESと縮めてファフロツキーズと読ませる。なお科学用語ではなくオカルト用語なので気象現象などには使ってはいけないw　赤い雨は藍藻類の発生、魚

や亀などは竜巻で巻き上げられたことで時間差で墜ちてきたなどが挙げられる。

ブアメードの水滴実験 暗示で人は死ぬことがあるのかという実験。オランダで1883年に実際に行われたとされているもので、実際には傷つけていないが目隠しをした相手に水滴の音を聞かせることで大量出血したと思わせた。実際に血圧低下から死に至ったと言われている。

フーリエ変換 周波数領域表現のこと。たとえばフーリエ変換した画像は人間の目には砂嵐になるが、特殊なレーザーなどを透過させると元の画像にデコードされる。

フォトトロピン 植物の光屈性と関係する光受容体のこと。

ブリーベ Boiling Liquid Expanding Vapour Explosionを略してBLEVE。ブレビーという場合もあるが、読みはどっちでもいいらしい。液体の急激な相変化による爆発的現象。燃料タンクなどの火災大爆発などがこれにあたる。

ブルーライト 青い光。「目に悪い」「カットせねばならぬ」と誰かが言い出したが、そいつの頭が悪いだけで目とは関係ない。っていうか青みがイヤならモニタの色設定変えればいいじゃん。青い光ではなくそもそも発光する画面を見てるのが悪いという説が濃厚。

分水嶺 大きな水の流れの分かれ目の山のこと。日本では山形県最上群最上町にある堺田分水嶺が有名で、太平洋と日本海へちょうど約100kmの長大な川の始まりにもなっている細い小川がある。

ヘテロリシス 特に電荷を持たない分子からカチオン（陽イオン）とアニオン（陰イオン）が開裂すること。どちらもラジカル開裂する場合はホモリシスと呼ぶ。ヘテロ尻スやホモ尻スではないので注意。

ペトリコール 雨雲の匂い。パルミチン酸やステアリン酸、そしてゲオスミンやオゾンの匂いが組み合わさっている

崩壊 アルファ崩壊、ベータ崩壊、崩壊神ラー。

ボルツマン分布 エネルギーの状態が高いもの低いものの分布は指数関数的な分布となるという意味。金持ちはより金持ちになり、貧乏人はより貧乏のままであるという経済的な悲しみもだいたい表している。偏差値なんかもボルツマン分布する。

マルピーギ管 昆虫や多足類などで見られる浸透圧調節＋排出器官で人間

だとリンパ系と腎臓を足したような
組織。

【み】

ミサンドリー　男性蔑視。ミソジニー
の対語。

ミソジニー　女性蔑視。ミサンドリー
の対語。

【め】

メタマテリアル　人間の手で作られた
天然に存在しない特殊な素材。負の
屈折率の鏡とか高温や酸に強い樹脂
といった感じで、SFではブラックボ
ックスとして使いやすい。

メテオ　隕石の英語meteoriteの略。
宇宙空間のなんらかの物体が地球重
力に引かれ落ちてくること。直径1
メートルでさえTNT50トン相当の
エネルギーとなり、10メートル程度
で50キロトン（広島型原爆は20キロ
トン）、100mで50メガトン（ツァー
リボンバ級）と指数関数的にエネル
ギーが大きくなる。恐竜絶滅の引き
金となったと言われるチクシュルー
ブ・クレーターに落ちた隕石は数十
キロメートル以上あったとされ（諸
説あり）、エネルギーはTNT換算し
てももはや意味がわからなくなって
しまうレベル。

メトセラ　聖書に出てくる長生きな
人。長寿設定のヒューマノイドにつ
けてあることが多い。

【ゆ】

ユークリッドの定理　古代エジプト
のギリシャ系数学者ユークリッドが
「素数は無限に存在する」と示した
こと。

ユーサムリッド　アメリカ陸軍感染症
医学研究所（USAMRIID）。エボラ
などのバイオセーフティ4の施設も
あり、対生物兵器・生物テロの防護
研究を行っている研究所。

融点降下剤　高校化学にのみ出現して
いたナゾ用語。最近のカリキュラム
再編成でようやく存在が消えた。

幽霊　死後の魂が現世にとどまって以
下略……という創作にはかかせない
オカルト要素の1つ。幽霊にも寿命
がないとこの世界が幽霊で溢れかえ
ってしまいそう。

【よ】

ヨウ素　ハロゲン属の下に位置する穏
やかなハロゲン。常温で固体で昇華
性がある。日本のヨウ素は水溶性天
然ガス鉱床に湧き出す水から生産さ
れ、現在は千葉県で国内の80%が産
出……というか世界の3割を産出す
る。つまり世界に誇る千葉の名産品
である。

腰痛　フィクションの世界にとっての
創造主でもあり神である作者。その
神に起こる腰痛は、その世界線自体
をも変えることがある重大な問題と

なることがある。恐ろしきことである。　例)「トマトイプーのリコピン」ではその影響により週刊少年ジャンプ誌面連載時の最終回さえ無かったことになっている。

【ら】

ライデッヒ細胞　精巣の精細管内にあるテストステロン生産細胞。深夜から早朝にかけて働くので、睡眠不足が続くとテストステロンレベルが下がると言われてる。

ランドルト環　視力検査の「C」的なアレ。

【り】

理想気体　高校の化学に突如現れる謎の気体。分子間力が無く、分子の大きさを持たないという圧倒的理不尽により構成されており、その理不尽で学ぶので気体の性質自体を根本的に見誤ることになることも。

リュードベリ状態　非理想的なプラズマの準安定状態の1つ。凝縮した励起原子からなる高エネルギーなのに電子を放出したりイオン化したりせず落ち着いた状態にある。

【る】

ルベラ　rubella。風疹。RNAウイルス一本鎖ポジティブトガウイルス科の風疹ウイルスの英語表記。

【れ】

レイテンシー　命令を出してから結果が返ってくるまでの待ち時間。コンビニで肉まんを頼んで温められて出てくるまでの時間のこと。

【ろ】

ロッシュ限界　惑星や惑星の周りの衛星が重力などで引き寄せられたり破壊されたりせずに、その主星に近づける限界の距離のこと。

【わ】

ワーキング・プア　略してワープア。かつて一億層中流を目指していた日本が今、新しく目指している社会構造のこと。

ワクチン有害論者　ワクチンというものは人類の疾病に対する強大な抑制力として働いてきたことは歴史的にもはっきりしている。のだが、それにファッション感覚で異を唱えて「私は貴方とは違う」と自分に酔い痴れる輩が存在。極刑に値する国家反逆罪以上の大罪であり、原理的に考えて病原体の流行を手助けするので病原体と取り扱いは同じで良い。火炎消毒が最適。

【ん】

ん　突如爆発する事故などで今際の際に発するどうしようもない叫び。

夢路キリコ
イラストギャラリー

YUMEJI KIRIKO Illustration Galerie

ディスカバリーチャンネルでの連載版『アリエナクナイ科学ノ教科書』では、夢路キリコ先生にテーマに即したオリジナルイラストを描き下ろしていただいていた。

すべての回で描いてもらったため、その数なんと35！

せっかくのイラストなので、このたび巻末付録としてフルカラーでギャラリー化したぞ。まさに完全保存版！

Web連載を彩ってくれた珠玉のイラストの数々、ぜひ堪能してもらいたい。

第1回
異世界と科学

第2回
異世界の世界設定

第3回
異世界の物理法則

第4回
ストーンのサイエンス　石ころから鉱石、宝石まで

第5回
霊能者の話術

第6回
Breaking Badに学ぶ　科学描写の使い方とごまかし方

第7回
HACK! HACK! ハッカーって何やってるの?

第8回
密室トリックと完全犯罪のシナリオ

第9回
宿主をゾンビ化！？フィクションのための分かる寄生生物学

第10回
火属性は音属性に弱い!? 氷・炎・雷! ファンタジーの属性理論

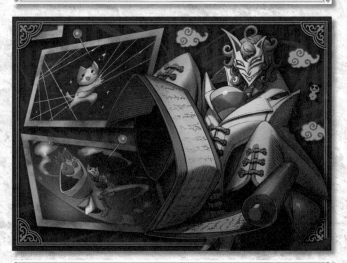

第11回
フィクション? それとも実現可能? 特殊武器の可能性 前編

第12回
フィクション？　それとも実現可能？　特殊武器の可能性　後編

第13回
死の科学

第14回
サバイバルフィクションのお作法

第15回
ハイテク忍術！　光学迷彩の仕組み

第16回
戦争の科学　生物化学兵器！

第17回
異世界モンスターの生物学

第18回
貴方がみている世界を私はみている　ザ・メタ世界観

第19回
闇の医学　ドラッグ

第20回
こうかはばつぐんだ！　弱点のための科学

第21回
この世は物質　物質世界！　万物全てを構成する物質の世界　前編

第22回
この世は物質　物質世界！　万物全てを構成する物質の世界　後編

第23回
アリエナクナイ特殊能力　前編　スーパーセンス　超感覚の世界

第24回
アリエナクナイ特殊能力　後編　スーパーセンス　超感覚の世界

第25回
心理トリック入門

第26回
人類絶滅！　絶滅までの科学的シミュレーション

第27回
闇の医学？　ドーピング

第28回
フィクションのためのネットリテラシー

第29回
現代はどれくらいSFに近づいたのか？ ～機械と生命の融合～

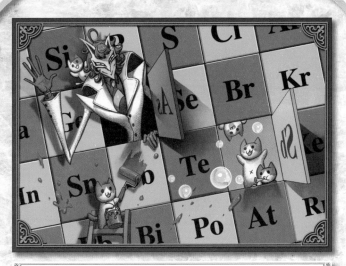

第30回
周期表から読み解くSF

第31回
魔法攻撃を受けたらどうなるのか？

第32回
せかいのはじまり

第33回
悪の組織とブラックボックス

第34回
秘密兵器

第35回
最終回　科学監修とは？

おわりに

　さて、お届けしてまいりました『アリエナクナイ科学ノ教科書2』、いかがでしたか？　科学の深淵に対する興味のきっかけになれば筆者としても本懐です。

　さて、"おわりに"ということで今回も裏話をいくつか。

　イベントなどでお話したこともありますが、実は筆者的には前作『アリエナクナイ科学ノ教科書』の出版時に「もうそろそろ本つくるのやめよーかなー」なんてことを考えておりました。が、しかし、気がつくと『アリエナイ理科ノ大事典』、『アリエナイ理科ノ大事典Ⅱ』、『アリエナイ理科ノ大事典 改訂版』、『毒物ずかん』と直接執筆する書籍、ありがたくもキャラクター化していただいた『ヘルドクターくられの科学はすべてを解決する!!』の連載＆単行本化、そしてもちろん科学監修を務める『Dr.STONE』と、筆者が関わる書籍が増殖中。世の中のことは本当にわからないものです（笑）。

　そしてご存知の方もいるかと思いますが、ありがたくも恐れ多いことに『アリエナクナイ科学ノ教科書』は、第49回星雲賞ノンフィクション部門をいただく栄誉にあずかりました。星雲賞は、毎年3月ころ日本SF会議の事前投票による参考候補作が公開され、その後に本投票が行われるという流れです。ただ、参考候補作以外にも投票可能になっています。
　で、事務局からの受賞連絡の際、こんな一文がありました。

「これまでの星雲賞の歴史の中で、参考候補作に入っていなかった作品が受賞することは、初めてのことです」

　ということで史上初の参考候補作以外の受賞作です。これも皆さまのご愛顧あってのことと思います。

　今回の『2』は、本文でも何度も触れましたが、もともとはディスカバリーチャンネルのWebコンテンツとして約10か月にわたり連載したものの書籍化です。Web版では、気軽に読めるように心がけて執筆した一方、お金を払っていただく書籍版ではいろいろな情報を詰め込んでいます。たとえば「霊能者の話術」の部分では"白っぽい車"について触れていますが、Web版ではさらっと触れていたものを書籍版では調査報告書からデータを引っ張り、印象ではなく根拠を示しました。本書全般にわたって同様の編集を行っています。その他、どーでもいい情報もできる限り詰め込んでおり、「はじめに」で触れたとおりまさしく闇鍋に仕上がったと自負しております。

　また、お気づきの人もいるかもしれませんが、本書にはWeb版の連載がすべて載っているわけではありません。闇鍋にいろいろぶち込みすぎた結果、1講あたりのボリュームが激増……。「このままじゃ 500ページとかになっちゃうよー」ということで、テーマを絞り込むことになりました。つまり、残りのコンテンツはまだまだあるわけです！　『1』から『2』は2年以上の時間がかかりましたが、『3』はあまり間を置かずに皆さまにお届けしたいと考えています。

　それではその日まで、ごきげんよー。

くられ

著者紹介

くられ

フリーライターにして不良科学者、野良マッドサイエンティスト。多士済済な怪人が集う爆笑秘密結社・薬理凶室の室長を務める。『図解アリエナイ理科ノ教科書』にて科学書に革命を起こし、通称『ア理科』シリーズは累計20万部を突破。いっぽうお約束のように毎回どこかの自治体から有害図書指定を受けている。『アリエナクナイ科学ノ教科書』では第49回星雲賞ノンフィクション部門を受賞、週刊少年ジャンプ連載『Dr.STONE』の科学監修担当など、陽のあたる場所でも活躍中。科学を心底愛し、反面エセ科学を嫌悪。水素水やホメオパシーをせせら笑い、血液クレンジングの登場当時からそのアホらしさを指摘していた。

カバーデザイン	ヤマザキミヨコ（ソルト）
本文デザイン・DTP	西嶋 正
描き下ろしイラスト	Akatuki-walkeR
イラスト提供	夢路キリコ

アリエナクナイ科学ノ教科書 2

2020年1月10日　初版第1刷発行

著　者	くられ
協　力	薬理凶室
発行人	片柳秀夫
編集人	三浦 聡
発　行	ソシム株式会社
	https://www.socym.co.jp/
	〒101-0064　東京都千代田区神田猿楽町1-5-15　猿楽町SSビル3階
	TEL:03-5217-2400（代表）　FAX：03-5217-2420
印刷・製本	株式会社 光邦